DZIENNIK CWANIACZKA

BIAŁA GORĄCZKA

W SERII:

Dziennik cwaniaczka • Rodrick rządzi

Szczyt wszystkiego • Ubaw po pachy

Przykra prawda • Biała gorączka • Trzeci do pary

Zezowate szczęście • Droga przez mękę

Stara bieda • Ryzyk-fizyk • No to lecimy

Jak po lodzie • Totalna demolka • Zupełne dno

Dziennik cwaniaczka. Zrób to sam!

WKRÓTCE:

Jeszcze więcej cwaniaczka!

PRZECZYTAJ TAKŻE:

Dziennik Rowleya. Zapiski chłopca o złotym sercu

Teraz Rowley. Ahoj, przygodo!

Rowley przedstawia. Strasznie straszne opowieści

DZIENNIK CWANIACZKA

BIAŁA GORĄCZKA

Jeff Kinney

Tłumaczenie
Joanna Wajs

Nasza Księgarnia

Tytuł oryginału angielskiego: *Diary of a Wimpy Kid: Cabin Fever*

First published in the English language in 2011 by Amulet Books,
an imprint of ABRAMS.

Original English title: *Diary of a Wimpy Kid: Cabin Fever*

Book design by Jeff Kinney
Cover design by Chad W. Beckerman and Jeff Kinney

DLA TICHINA

Sobota

Na ogół ludzie nie mogą doczekać się Gwiazdki, ale ja w okresie między Świętem Dziękczynienia a Bożym Narodzeniem chodzę cały roztrzęsiony. Rodziców w sumie niespecjalnie obchodzi, co robicie przez jedenaście miesięcy. Jeśli natomiast podpadniecie im na ostatniej prostej, macie przechlapane.

Bycie dobrym dzieckiem przez miesiąc to nie na moje nerwy. Sprawdziłem – daję radę góra sześć do siedmiu dni. Dlatego tym, którzy oczekują, że będę „grzeczny" już od Święta Dziękczynienia, proponuję, aby przenieśli je na tydzień przed Gwiazdką.

Naprawdę nieźle się urządziły dzieciaki, które nie obchodzą Bożego Narodzenia. Nie wpadają w panikę, kiedy o tej porze roku wywiną jakiś numer. Prawdę mówiąc, niektórzy goście właśnie teraz stają się wyjątkowo wredni, tylko dlatego, że mogą sobie na to pozwolić.

Ale NIC nie przebije tej historii z Mikołajem. To jakaś paranoja, że on wie, kiedy nie śpię. Zacząłem wkładać na noc spodnie dresowe, bo nie widzę powodu, aby Święty oglądał mnie w bieliźnie.

Zresztą nie sądzę, żeby on miał czas śledzić każdego małolata dwadzieścia cztery godziny na dobę. Pewnie robi kontrolę raz czy dwa razy w roku – no i znając moje szczęście, zawsze trafia na te najbardziej żenujące momenty.

Jeśli Święty rzeczywiście widzi WSZYSTKO, mogę mieć poważne kłopoty. Dlatego w listach do niego nigdy o nic nie proszę, tylko staram się zatrzeć złe wrażenie.

Drogi Mikołaju!
Pragnę Cię zapewnić, że wcale nie rzuciłem jabłkiem w kota pani Taylor, chociaż z daleka to faktycznie mogło tak wyglądać.
Z poważaniem,
Greg Heffley

Jest jeszcze ta lista dobrych i niedobrych dzieci. Ciągle się o niej słyszy, a jednak nikt nigdy NIE OGLĄDAŁ jej na własne oczy, tak więc dorośli mogą bez przeszkód nami manipulować. A to potwornie niesprawiedliwe.

Zastanawiam się nad wiarygodnością informatorów Mikołaja. Jest taki jeden koleś, Jared Pyle, który mieszka na tej samej ulicy co ja. Jeżeli JAKIKOLWIEK dzieciak zapracował sobie na złą opinię, to z pewnością on. A jednak ostatnio dostał pod choinkę motor. Nie mam BLADEGO pojęcia, co ten Święty sobie wyobraża.

Ale to jeszcze nie wszystko. W zeszłym roku mama robiła porządki w różnych rupieciach i znalazła swoją gałgankową lalkę z dzieciństwa.

Powiedziała nam, że lalka jest Agentem Świętego i że przygląda się dzieciom, a potem donosi o ich zachowaniu na biegun północny.

Cóż, jeśli chcecie znać moje zdanie, nie jestem zachwycony. Po pierwsze, człowiek potrzebuje odrobiny prywatności we własnym domu. A po drugie, ten Agent ma w sobie coś upiornego.

Nie wierzę, że lalka jest szpiegiem, ale na wszelki wypadek staram się być ekstragrzeczny, kiedy przebywam z nią w jednym pokoju.

Chociaż i tak jestem przegrany na starcie, bo mój starszy brat Rodrick cały czas nadaje na mnie Agentowi Świętego.

Co rano znajduję Agenta Świętego w innym miejscu. Ktoś chyba chce mnie przekonać, że lalka podróżuje nocami na biegun północny i z powrotem. Ale ostatnio zaczynam się zastanawiać, czy to naprawdę tylko głupie żarty Rodricka.

Niedziela

Dzisiaj przynieśliśmy z piwnicy wszystkie ozdoby choinkowe. Mamy od metra tego towaru, a niektóre świecidełka są naprawdę bardzo stare. Na przykład to ze zdjęciem, na którym ja i Rodrick kąpiemy się w zlewozmywaku. Megaobciach, ale mama nigdy nie pozwoli mi go wyrzucić.

Postawiliśmy drzewko w salonie i zaczęliśmy wieszać bombki. Mój młodszy brat Manny spał w tym czasie na górze, a kiedy się obudził i zobaczył, że ubraliśmy choinkę bez niego, przeżył załamanie nerwowe.

Mały dostał szału, bo sam chciał zawiesić swoją ulubioną ozdobę, cukrową laskę świąteczną. No więc mama zdjęła ten lizak i podała smarkaczowi, żeby przestał ryczeć.

Ale zaraz się okazało, że Manny chce, aby jego ozdoba JAKO PIERWSZA zawisła na choince, więc musieliśmy rozebrać drzewko. Co daje pewne wyobrażenie o tym, jakie stosunki panują w moim domu.

Manny nie jest jeszcze straszony Mikołajem tak jak ja i Rodrick, ale to kwestia czasu.

Chociaż ten sposób wymuszania na nas dobrego zachowania nie sprawdza się na dłuższą metę. Bo kiedy święta dobiegają końca, mama nagle traci wszystkie argumenty.

Poniedziałek

Tuż przed Świętem Dziękczynienia nauczyciele ogłosili konkurs na najlepsze hasło kampanii przeciwko szkolnym dręczycielom. Główną nagrodą jest pizza party.

Ludzie strasznie się napalili na to pizza party. Byli gotowi na wszystko, żeby tylko wygrać. Dwa zespoły dziewczyn z mojego rocznika wymyśliły prawie identyczne hasła i zaczęły oskarżać się wzajemnie o plagiat.

Sytuacja wymknęła się spod kontroli. Wreszcie wicedyrektor musiał interweniować, bo zanosiło się na ostrą zadymę.

Nasza szkoła w tym roku ma jednego oficjalnego dręczyciela – Dennisa Roota. Pewnie te wszystkie plakaty i napisy dają mu do myślenia.

Na dzień przed Świętem Dziękczynienia mieliśmy pogadankę poświęconą przemocy i wszyscy w auli wpatrywali się w Dennisa. Trochę mi gościa było żal, więc okazałem mu swoje współczucie.

Chociaż Dennis jest naszym jedynym dręczycielem w tym roku, w zeszłym mieliśmy ich ZATRZĘSIENIE. Dzieciaki ciągle obrywały na przerwach, więc nauczyciele zorganizowali dla nich pogotowie na boisku szkolnym. Każdy mógł wcisnąć specjalny guzik, jeśli potrzebował pomocy dorosłego.

Cóż, pogotowie nauczycielskie momentalnie stało się ulubioną metą dręczycieli, którzy czyhali przy nim na kolejne ofiary.

Nauczyciele twierdzą, że PRZEZYWANIE też jest przemocą. Ale nie sądzę, aby potrafili nas TEGO oduczyć. Dzieciaki z mojej szkoły ciągle przerzucają się idiotycznymi ksywkami. Między innymi dlatego wolę nie rzucać się w oczy. Nie chcę skończyć jak Cody Johnson.

Cody jeszcze w przedszkolu wdepnął w psią kupę i odtąd wszyscy nazywają go Klocek.

Nie mam na myśli tylko dzieciaków. Nauczyciele też tak do niego mówią, a nawet DYREKTOR.

Coś wam powiem: jeśli podzielę los biednego Klocka, wyniosę się do innego miasta.

Ale wtedy OCZYWIŚCIE ktoś z mojej starej szkoły też się tam przeprowadzi i cały trud pójdzie na marne.

Nauczyciele zawsze powtarzają, że jeśli ktoś wam dokucza, musicie powiedzieć o tym dorosłym. Może to i dobry pomysł, ale jakoś nie wypalił, kiedy sam padłem ofiarą przemocy.

Jest taki koleś w sąsiedztwie, na którego nie wiadomo czemu wołają Brudne Gacie.

Kiedy tylko ja i mój kumpel Rowley mijaliśmy jego dom, ten koleś zawsze gonił nas z jakimś drągiem.

Trochę dalej zaczynał się lasek, przez który chodziliśmy na skróty do szkoły. Ale że nie chcieliśmy spotkać Brudnych Gaci, musieliśmy zacząć nadkładać drogi.

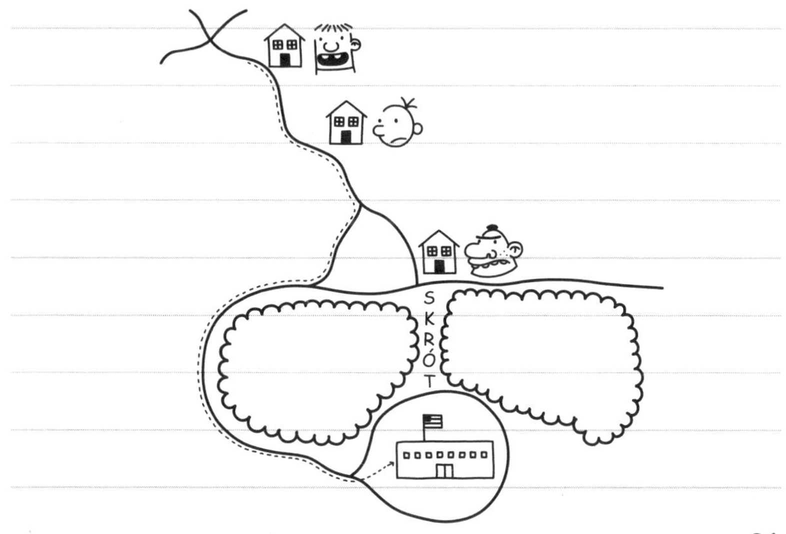

Po namyśle zrobiliśmy DOKŁADNIE to, o czym ciągle nawijają nauczyciele. Poskarżyliśmy się wicedyrektorowi. Na co pan Roy oświadczył, że nic nie może zrobić, bo dręczyciel nie chodzi do naszej szkoły.

Ten gościu jeszcze kilka razy nas pogonił, aż wreszcie się wkurzyłem i powiedziałem o wszystkim tacie. Bałem się, że zaraz usłyszę wykład o byciu mężczyzną i takich tam, ale on naprawdę mnie zaskoczył. Oznajmił, że jego TEŻ nękano w dzieciństwie i że rozumie, przez co przechodzę.

Dręczyciel taty nazywał się Billy Staples. Wykręcał ręce słabszym kolegom, aż wrzeszczeli.

Wreszcie dzieciaki z okolicy opowiedziały o Billym swoim rodzicom i wszyscy razem poszli porozmawiać z jego mamą i tatą. Pan Staples kazał Billy'emu obiecać, że już nigdy nie wykręci nikomu ręki, a on się poryczał i niewykluczone też, że zmoczył spodnie.

Cóż, byłem sceptyczny, jak to usłyszałem. Billy Staples najwyraźniej nie dorasta do pięt Brudnym Gaciom. Ale powiedziałem tacie, że podoba mi się myśl pójścia na skargę do rodziców dręczyciela. Zadzwoniłem po Rowleya i kazałem mu do nas dołączyć z panem Jeffersonem. Potrzebowaliśmy wsparcia.

Kiedy tata zapukał do drzwi, spodziewaliśmy się, że otworzy ktoś dorosły.

Ale wiecie co? W drzwiach pokazały się BRUDNE GACIE, więc Rowley i ja rzuciliśmy się do ucieczki.

Chyba powinienem był wcześniej opisać naszego prześladowcę, bo tacie sporo czasu zajęło domyślenie się, że to ten sam dzieciak, który rujnuje nam życie.

Wreszcie przyszła mama Brudnych Gaci. Powiedziała, że jej synek ma dopiero pięć lat i czasami odbija mu szajba.

Po drodze do domu tata był wściekły, że daję się nękać przedszkolakowi. Ale ja wiem jedno. Kiedy ktoś goni cię z drągiem, nie zatrzymujesz się, żeby zapytać, ile ma lat.

Wtorek

Nasze szkolne boisko jest już zupełnie puste. Na początku roku mieliśmy najróżniejsze rzeczy - drabinki, huśtawki i tak dalej - ale teraz został nam tylko piasek.

Przez to na dużej przerwie czujemy się trochę jak więźniowie na spacerniaku.

Podobno szkoła chce uniknąć pozwów o odszkodowania. Dlatego gdy zdarza się jakiś wypadek, nauczyciele zaraz usuwają sprzęt, który go spowodował.

W październiku Francis Knott zleciał z huśtawki i walnął o bujankę, więc zabrali nam aż dwa elementy wyposażenia boiska naraz.

A drabinki straciliśmy, kiedy taka jedna dziewczyna, Christine Higgins, wlazła na samą górę i potem bała się zejść.

Nauczycielowi w żadnych okolicznościach nie wolno dotknąć ucznia, więc trzeba było zadzwonić po rodziców Christine.

W końcu została nam już tylko równoważnia i byłem pewien, że nikt nie zrobi sobie krzywdy o coś TAKIEGO. Wierzcie lub nie, ale parę dni temu jakiś debil wpadł na nią, bo nie patrzył pod nogi. No i tak musieliśmy pożegnać się z równoważnią.

Teraz boisko szkolne to potworna nuda.

Ale nauczyciele nie pozwalają nam nawet usiąść, bo podczas przerwy musimy „zażywać ruchu".

Oczywiście nie wolno przynosić z domu żadnych zabawek ani gier elektronicznych. Jeśli złapią kogoś z zabawką, zaraz ją konfiskują. W zeszłym tygodniu jeden chłopak znalazł autko zagrzebane w piasku. Wyglądało, jakby spędziło tam całe lata.

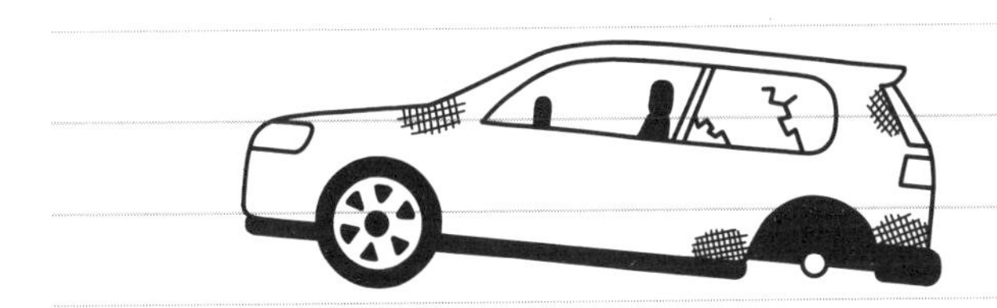

Miało tylko jedno koło, ale ludzie tak łaknęli rozrywki, że ustawili się w kolejce do samochodziku, podczas gdy inni stali na czatach.

No i nagle w szkole rozwinął się czarny rynek zabawek. Christopher Stangel przemycił wczoraj w kieszeni trochę klocków Lego i ponoć liczy sobie pięćdziesiąt centów od sztuki.

Nauczyciele zakazali nam też wielu gier zespołowych. Tydzień temu chłopaki bawiły się w berka, ale któryś się uderzył, kiedy został popchnięty.

I teraz nie wolno nikogo dotykać ani nawet BIEGAĆ. Dzisiaj dzieciaki grały w tego nowego berka. Wszyscy przemieszczali się chodem sportowym, ale to już nie było to samo.

Jeśli chcecie znać moją opinię, dorośli przeginają z tym bezpieczeństwem. Na meczach małej ligi futbolowej, w której gra Manny, smarkacze noszą kaski rowerowe.

Widzę jeden plus tej afery z boiskiem: w końcu podciągnę się z różnych przedmiotów.

Należę do osób, które nie potrafią skupić się na lekcji, kiedy za oknem inna klasa ma przerwę.

Środa

No dobra, cofam to, co wczoraj napisałem. Teraz, gdy boisko szkolne wygląda jak pustynia, dzieciaki na przerwie wariują z nudów, więc po prostu przyklejają się do szyb i nie odrywają od nas oczu. A to niespecjalnie pomaga, jeśli akurat rozwiązuje się test.

Tym bardziej że ja nie jestem superszybki na sprawdzianach. W trzeciej klasie uczyła mnie pani Sinclair, która miała świetne sposoby na tabliczkę mnożenia. Ale jej metoda jest czasochłonna.

W tym roku mieliśmy wcześniej innego nauczyciela matematyki, pana Sparksa, który wchodził na krzesło, gdy chciał, żebyśmy zapamiętali coś ważnego.

Ale raz, kiedy opowiadał o jakimś pojęciu matematycznym, krzesło się pod nim zarwało i zaliczył glebę.

Pan Sparks złamał sobie obojczyk i słyszałem, że podaje szkołę do sądu. Kompletnie nie pamiętam pojęcia, które nam tłumaczył, ale zawsze będę pamiętał, żeby nie stawać na meblach.

Podczas dzisiejszej dużej przerwy wszystkie dzieciaki tylko sterczały na boisku i czekały, aż będzie można wrócić do środka, ale wtedy Rowley nagle się zerwał i zaczął skakać.

Część ludzi śmiała się i klaskała. Na pewno pomyśleli, że Rowley skacze zamiast biegać w proteście przeciwko nowym zasadom, jednak prawda jest inna. Rowley po prostu lubi skakać.

Nie wiem czemu, ale dostaję szału za każdym razem, kiedy on to robi. My dwaj mamy skrajnie różny stosunek do skakania. Rowley twierdzi, że jestem zazdrosny, bo nie potrafię tego co on. Ale ja tylko sądzę, że gość, który skacze, wygląda beznadziejnie głupio.

Chociaż fakt, nie będę ściemniał. Nigdy nie załapałem do końca, o co chodzi z tym skakaniem. Byłem jedynym dzieciakiem w pierwszej klasie, który miał z nim problem.

Już się bałem, że zostanę na drugi rok, ale na szczęście pan od wuefu przymknął oko. Cały czas się jednak zamartwiam, że koszmar z przeszłości kiedyś mnie dopadnie.

Czasem się zastanawiam, jak to możliwe, że Rowley i ja zostaliśmy najlepszymi kumplami, skoro tak bardzo się różnimy. W każdym razie jesteśmy na siebie skazani, więc muszę być wobec niego pobłażliwy.

Czwartek

Czujny wzrok szpiega Mikołaja nie pozwala mi robić tego, co zwykle robiłem przed Gwiazdką.

Kilka lat temu rodzice położyli parę prezentów pod choinką na tydzień przed Bożym Narodzeniem, a ja nie mogłem znieść tej strasznej niepewności.

Na jednej z paczuszek znalazłem swoje imię i byłem niemal pewny, że to gra wideo. Wydłubałem małą dziurkę w papierze, żeby sprawdzić, czy mam rację, i faktycznie. To była gra, o którą prosiłem.

Zaraz potem zaczęło mnie denerwować, że ona leży sobie najspokojniej pod drzewkiem, a ja nie mogę jej rozpakować. A więc posunąłem się o krok dalej: zrobiłem precyzyjne cięcie na jednym z boków prezentu i wysunąłem płytę ze środka.

Otworzyłem plastikowe pudełko i wyjąłem dysk, a potem puste wsunąłem do papieru i skleiłem rozcięcie.

Ale później coś sobie uprzytomniłem i wpadłem w panikę. Mama mogła podnieść prezent i zorientować się, że jest lżejszy. No więc otworzyłem go jeszcze raz i włożyłem do pudełka płytę Rodricka z heavy metalem.

Grałem w moją nową grę co noc, gdy tylko rodzice kładli się spać, aż zaliczyłem wszystkie poziomy. Ale w końcu zupełnie zapomniałem odłożyć ją z powrotem i kiedy otworzyłem prezent przy mamie i tacie, CD Rodricka wyleciało i potoczyło się po podłodze.

Zaraz po świętach mama odniosła płytę do sklepu Zgrywna Chata i zrównała z ziemią sprzedawcę za to, że dał jej produkt „niewskazany" dla dzieci.

No cóż, ja po prostu lubię wiedzieć, co dostanę na Gwiazdkę, i czasami zwyczajnie nie wytrzymuję napięcia. W zeszłym roku włamałem się na skrzynkę mamy i napisałem listy do wszystkich krewnych, żeby wydusić z nich informacje.

Do: Bunia, wujek Joe, wujek Charlie, babcia, dziadek, wujek Gary, Joanne, Leslie, Byron, inni (23)

TEMAT: Prezenty

Hej, kochani,
dajcie znać, co w tym roku kupujecie Gregowi, żebyśmy uniknęli takich samych prezentów.

Dzięki,
Susan

Ale mama trzyma laptopa w kuchni, a nie jest łatwo zajrzeć do poczty, kiedy Agent Świętego śledzi każdy mój ruch.

Dziś wieczorem próbowałem zdecydować, co wpisać na tegoroczną listę życzeń. Staram się być konkretny do bólu, bo pozostawienie tej kwestii pomysłowości mamy i taty zawsze kończy się katastrofą.

Parę lat temu zapomniałem zrobić listę, no i musiałem ponieść konsekwencje. Mama była wtedy w ciąży z Mannym i postanowiła przygotować mnie na narodziny młodszego braciszka.

Więc podarowała mi LALKĘ.

Na początku nie chciałem mieć z Fredziem nic wspólnego.

Ale potem zrozumiałem, że lalka, którą można KARMIĆ, to szansa, jakiej nie wolno mi zmarnować. I wiecie co? W ciągu miesiąca od pojawienia się Fredzia nie przełknąłem chyba ani jednego warzywa.

Fredzio przydawał się nie tylko w porze posiłków. Odkryłem, że jest też świetnym stojakiem na komiksy.

Muszę przyznać, że po paru miesiącach autentycznie zżyłem się z tą lalką.

Nie miałem żadnego zwierzaka, więc opieka nad Fredziem była dla mnie dużą frajdą.

Jednak pewnego dnia po powrocie ze szkoły NIGDZIE nie mogłem znaleźć lalki. Przewróciłem dom do góry nogami, ale bez skutku.

Uznałem, że musiałem zgubić gdzieś Fredzia podczas zabawy.

Byłem załamany utratą lalki i TOTALNIE zdołowany tym, że mama uzna mnie za nieodpowiedzialnego starszego brata. No więc wyjąłem z lodówki grejpfruta i namalowałem na nim buźkę flamastrem.

Potem zawinąłem grejpfruta w ścierkę do naczyń i przez kolejne trzy miesiące udawałem, że to lalka.

Mama i tata chyba nic nie zauważyli. Ale mnie paraliżowała myśl, że PRAWDZIWY Fredzio odnajdzie drogę do domu i zemści się za porzucenie go i zastąpienie owocem.

Prawdę mówiąc, boję się powrotu lalki do dzisiaj. Dlatego przed snem zawsze sprawdzam, czy okno jest zamknięte.

Trochę to żenujące, wiem, ale do tego GREJPFRUTA też się przywiązałem. Niestety zaczął gnić i tata w końcu wyniuchał, co tak potwornie śmierdzi.

Mama nie wydawała się zła, że posiałem lalkę, ale coś wam powiem. Nigdy nie zostawia mnie samego w domu z Mannym na dłużej niż piętnaście minut.

Jak już pisałem, fajnie było mieć kogoś pod opieką i brakowało mi tego uczucia. No więc po stracie Fredzia zacząłem szukać pocieszenia w grze internetowej Zwierzaki Sieciaki.

Dobra, nie będę ukrywał: uzależniłem się od Zwierzaków Sieciaków. Generalnie chodzi w nich o to, że trzeba karmić swoje zwierzątko i dbać, żeby było szczęśliwe. A kiedy jest szczęśliwe, dostaje się punkty, za które można kupować mu ubranka, mebelki i różne takie.

Tak bardzo wciągnąłem się w tę grę, że mój chihuahua jest już właścicielem luksusowej rezydencji, basenu w salonie, kręgielni i jakichś stu pięćdziesięciu psich sweterków.

Denerwuje mnie tylko to IMIĘ. Ale wybrała je mama, gdy zakładała mi konto, a ja nie umiem go zmienić.

MAŁY PRZYJACIEL GREGORY'EGO

Mama uważa, że lepiej traktuję wirtualne zwierzę niż SAMEGO SIEBIE, i chyba coś w tym jest. W weekend grałem przez szesnaście godzin bez przerwy – nawet nie korzystałem z toalety.

No ale kiedy nie daję swojemu zwierzakowi nowych rzeczy, on zaczyna robić się smutny, a ja nie mogę na to patrzeć.

Problem polega na tym, że w grze możesz zdobyć tylko określoną liczbę punktów. Potem je kupujesz za prawdziwe pieniądze. Niestety nie dorobiłem się jeszcze osobistej karty kredytowej, co oznacza, że o wszystko muszę prosić rodziców.

A nie jest łatwo przekonać tatę, aby sypnął kasą na modne wdzianko dla wirtualnego zwierzęcia.

W tym roku poproszę o wirtualną gotówkę pod choinkę. Ale ciągle się zastanawiam, czego JESZCZE sobie zażyczyć. W sumie potrzebuję MNÓSTWA rzeczy, bo gdy niedawno spędziłem dzień w szpitalu na usuwaniu migdałków, Manny zdążył wyprzedać połowę mojego majątku.

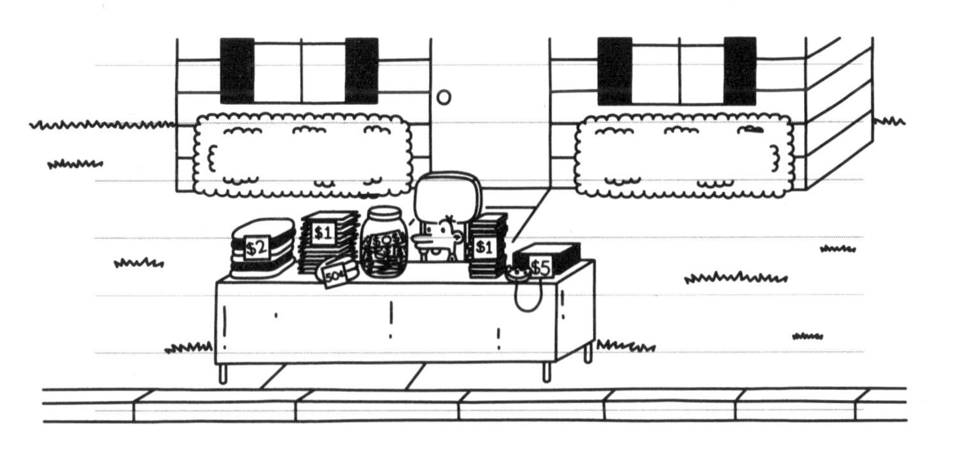

Raczej sobie odpuszczę zwyczajne prezenty, takie jak gra wideo czy zabawka. Zorientowałem się już, że kiedy dostaję coś odjazdowego na urodziny albo na Gwiazdkę, najdalej po tygodniu dorośli wykorzystują to przeciwko mnie.

Wiem jedno: w tym roku akceptuję jedynie prezenty z metkami. W zeszłe święta mama podarowała mi naprawdę genialny koc zrobiony na drutach. Pół zimy się nim przykrywałem.

Ale w końcu natrafiłem na zdjęcie opatulonego tym samym kocem wujka Bruce'a, który zmarł parę lat temu. No więc pozbyłem się szybko swojego prezentu – wcisnąłem go na urodziny Rodrickowi.

Niedziela

Zamierzałem przez weekend grać w Zwierzaki Sieciaki do upadłego, ale wczoraj mama powiedziała, że to się robi „niezdrowe" i że muszę spędzić trochę czasu z jakąś „żywą istotą".

No więc zadzwoniłem do Rowleya i powiedziałem mu, żeby wpadł, chociaż nadal byłem wkurzony tą historią ze skakaniem.

Kiedy przyszedł, usiedliśmy przed telewizorem. Włączyłem grę wideo, ale mama kazała nam POROZMAWIAĆ.

Ona nie rozumie, że nasza przyjaźń przetrwała próbę czasu między innymi dlatego, że Rowley lubi PATRZEĆ, jak gram.

Zresztą nasi przodkowie wymyślili technologię właśnie po to, żeby NIE MUSIEĆ rozmawiać.

Mama odesłała nas do piwnicy, gdzie zaczęliśmy się zastanawiać, co by tu porobić. Rowley miał przynieść jakieś DVD, żebyśmy mogli do późna oglądać filmy.

Ale on przytargał tylko RODZINNE nagrania, a ŻADNA siła nie zmusi mnie do oglądania CZEGOŚ TAKIEGO.

Mama podrzuciła nam kilka książeczek ze „zwariowanymi zdankami". Chodzi w nich o to, że różnymi wyrazami w śmieszny sposób uzupełnia się puste miejsca.

Najpierw Rowley wymyślał słowa, a ja je wpisywałem. Zdania może i były zabawne, ale NIE był zabawny Rowley, który ma nowy zwyczaj: zamiast się śmiać, mówi: „LOL".

To naprawdę WYTRĄCIŁO mnie z równowagi. No więc zamieniliśmy się rolami i teraz ja wymyślałem słówka. Rowley kazał mi podać nazwę sportu. Powiedziałem: „krykiet". Ale on mnie poprawił, twierdząc, że mówi się „grykiet", z „g" na początku. No i zaczęliśmy się potwornie kłócić o to, od jakiej litery zaczyna się „krykiet".

W końcu znalazłem słownik i zaproponowałem Rowleyowi, żeby sam się przekonał. Ale zamiast szukać pod „k", on czytał po kolei wszystkie słowa na „g". A kiedy nie natrafił na „grykiet", zaczął od początku.

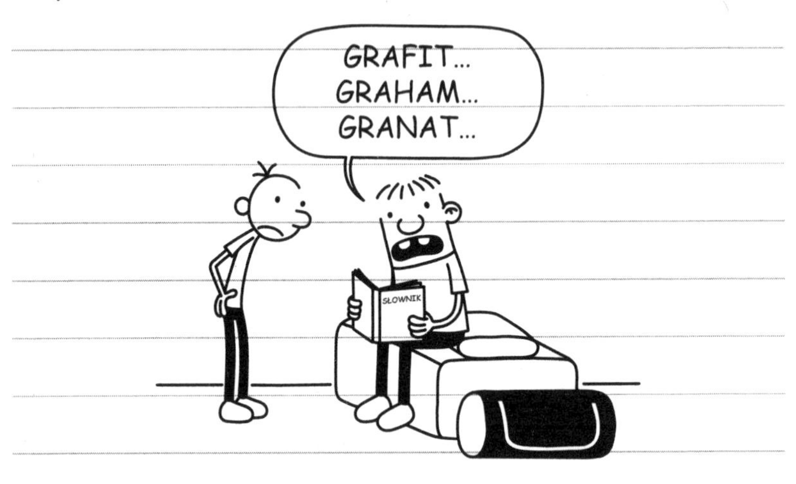

Rowley stwierdził, że mój słownik jest przestarzały, i oświadczył, że tylko dlatego nie ma w nim „grykieta". No więc WTEDY zaczęliśmy się kłócić o to, w którym roku został wynaleziony krykiet.

Wreszcie musiałem przerwać tę dyskusję. Inaczej zaczęlibyśmy się bić, jak zwykle.

Powiedziałem, że może byśmy jednak porobili coś innego, a on odparł, że chce się bawić w chowanego. Jest jednak pewien zasadniczy problem. Rowley uważa, że jeśli on nie widzi CIEBIE, ty też nie widzisz JEGO. No więc kryjówki, które sobie wynajduje, są po prostu żenujące.

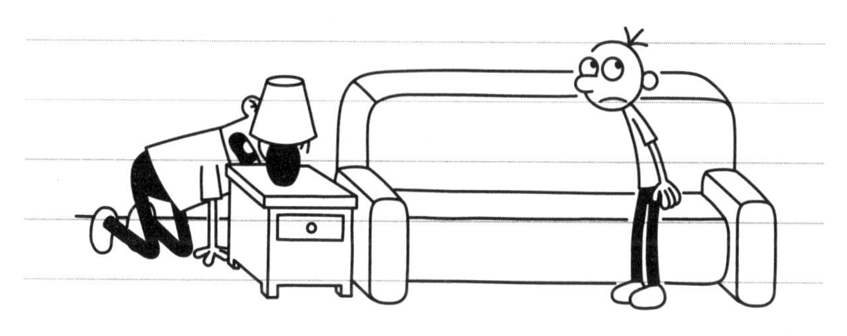

Uznałem, że musimy trochę od siebie odpocząć, i coś przyszło mi do głowy. Zaproponowałem, żebyśmy sprawdzili, który z nas jest odważniejszy, i wyszliśmy na dwór przez oszklone drzwi.

Każdy z nas miał pójść do lasku i napisać swoje imię na domku na drzewie, który zbudowaliśmy zeszłego lata. A ten, który by stchórzył, po pierwsze, mylił się co do krykieta, a po drugie, musiał mówić zwycięzcy „proszę pana" do końca życia.

Rowley chyba uznał, że to uczciwy układ.

Powiedziałem, że pobiegnę pierwszy. Ale kiedy tylko stracił mnie z oczu, zawróciłem i skierowałem się w stronę drzwi frontowych.

Nie ma takiej OPCJI, żebym sam zagłębiał się w las po zmroku. Już latem, po zbudowaniu domku, napisałem swoje imię na drzewie, i tylko dlatego założyłem się z Rowleyem.

Wszedłem do środka, nałożyłem sobie lodów i trochę odpocząłem. I wiecie co? Naprawdę potrzebowałem tej odrobiny czasu wyłącznie dla siebie.

Kiedy zjadłem lody, wykradłem się z domu, ubrudziłem sobie twarz i ciuchy ziemią, a potem wybiegłem z lasku do Rowleya.

Może nie powinienem był tego mówić, bo Rowley natychmiast się poddał.

Tak czy inaczej, przerwa od najlepszego kumpla dobrze mi zrobiła i reszta nocy upłynęła nam bezkonfliktowo.

Rano jechaliśmy do kościoła i Rowley zabrał się z nami. Jego rodzice chyba rzadko tam zaglądają, bo on nie bardzo umie się zachować. Ciągle muszę mu podpowiadać, że teraz klękamy albo wstajemy i takie tam.

Pod koniec wszyscy przekazywali sobie znak pokoju. Powiedziałem: „Pan z tobą" do Rowleya, ale on zaczął się chichrać.

Chyba zrozumiał: „Han Solo" i chciał mi odpowiedzieć czymś śmiesznym.

Najwyraźniej Rowley nie zrozumiał też, że znak pokoju ogranicza się do podania dłoni, bo kiedy kobieta w ławce za nami powiedziała do niego: „Pan z tobą", on wycisnął na jej policzku głośny i mokry pocałunek.

Po kościele podrzuciliśmy Rowleya do domu, a ja byłem przeszczęśliwy, że to już koniec i że mogę wrócić do swojej gry.

Zresztą mamie też wyraźnie ulżyło.

GRUDZIEŃ

Wtorek

Grałem sobie dzisiaj w Zwierzaki Sieciaki, kiedy do mojego pokoju wparowała mama. Przyglądała się przez chwilę, a potem zapytała, co właściwie robię. Wyjaśniłem jej, że patrzę na mojego chihuahuę siedzącego przed telewizorem, bo gdy wirtualne zwierzątko ogląda przynajmniej dwie godziny reklam dziennie, jest szczęśliwe, a ja dostaję dwadzieścia punktów ekstra.

Spytałem mamę, czy nie zechciałaby odpalić mi dziesięciu baksów, bo w sklepie Zwierzaków Sieciaków właśnie pojawiły się baletki, a Mały Przyjaciel Gregory'ego na pewno chciałby je mieć.

Ale chyba wybrałem zły moment, bo mama wyglądała na autentycznie rozeźloną. Powiedziała, że nie mam żadnego szacunku dla pieniędzy i że jeśli chcę finansować swój wirtualny „nałóg", to z własnej kieszeni.

Odparłem, że moja kieszeń jest pusta i że właśnie dlatego potrzebuję wsparcia. Ale ona oświadczyła, że istnieje MASA sposobów zarobkowania. Napomknęła, że tej nocy ma padać śnieg i że mógłbym jutro odśnieżyć sąsiadom podjazdy.

Wierzcie mi, WCALE nie czuję się komfortowo, chodząc do obcych ludzi po prośbie. Moja szkoła organizuje trzy zbiórki pieniędzy rocznie i muszę wtedy biegać od domu do domu, błagając osoby, które ledwo kojarzę, aby coś ode mnie kupiły.

A często nie mam bladego pojęcia, co właściwie próbuję opchnąć.

Wolałbym, aby szkoła dawała nam do opylania coś SENSOWNEGO, na przykład batony albo ciastka. Harcerki mają lepiej, bo przynajmniej sprzedają rzeczy, które ludzie JEDZĄ.

W ogóle my, uczniowie, odwalamy brudną robotę, a nauczyciele wręczają nam lamerskie nagrody. Kiedyś sprzedałem wartą dwadzieścia dolców ekskluzywną kawę do ekspresu, a w zamian dostałem tanie jo-jo, które się zepsuło, zanim jeszcze opuściłem teren szkoły.

Ale to NIC w porównaniu z tym, jak urządził się Rowley. Sprzedał tej kawy za sto pięćdziesiąt dolców i dostał w nagrodę chińską palcołapkę.
No i rzeczywiście palcołapka działała bez zarzutu, nie można zaprzeczyć, tyle tylko, że Rowley nie umiał wyjąć z niej palców i jego mama musiała ją przeciąć, kiedy wrócił do domu.

W ubiegłym roku nauczyciele postanowili spróbować czegoś nowego. Kazali nam sprzedawać bilety na loterię, a kto znalazł szczęśliwy los, temu siódmoklasiści urządzali wielkie wiosenne sprzątanie ogródka.

Pani Spangler, która mieszka na tej samej ulicy co ja, okazała się szczęśliwą zwyciężczynią i pierwszego dnia wiosny cała siódma klasa wtargnęła do jej domu. Ale na te wszystkie dzieciaki były do podziału tylko dwie pary grabi, więc większość po prostu snuła się bez celu po trawniku.

A kiedy „wiosenne porządki" dobiegły końca, ogródek pani Spangler wyglądał znacznie gorzej niż przedtem.

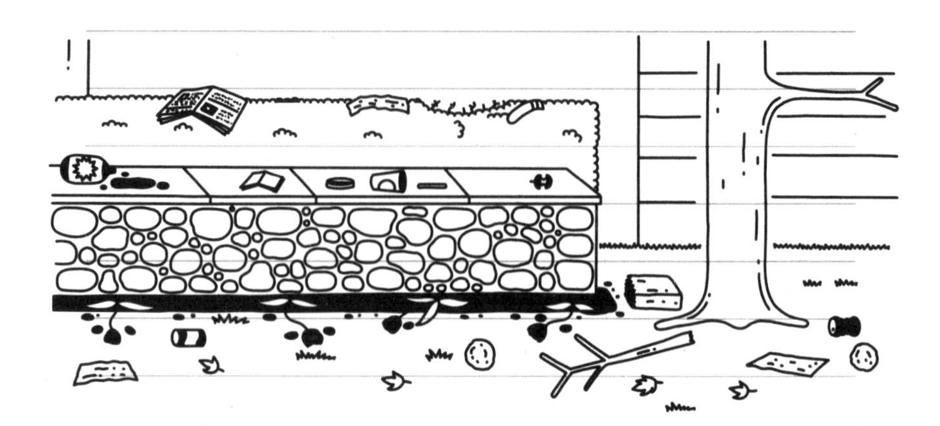

Najnowszym pomysłem nauczycieli są Marsze w Słusznej Sprawie. Chodzi o to, że maszerujmy przez pewien czas po bieżni, robiąc coś około stu albo dwustu kółek, i zmuszamy sąsiadów do płacenia za każde okrążenie.

MARSZ
W SŁUSZNEJ SPRAWIE
arkusz dla sponsora

$ 0,25/okrążenie

Nazwisko	Liczba okrążeń
1. Georgette Kramer	100
2. Tony Sinclair	150
3. Henry Nielson	50
4. Leslie Simpson	100
5. Barbara Preston	150
6. Lavar Collison	100
7.	
8.	

Rozumiem jeszcze nakłanianie ludzi do bulenia za cebulki albo kawę do ekspresu, ale naprawdę nie wiem, kto może czerpać przyjemność z widoku łażących w kółko dzieciaków.

Nauczyciele zorganizowali nam we wrześniu taki marsz, żeby zebrać kasę na znak z napisem:

Nie wiem, czemu uczniowie musieli maszerować, zamiast zwyczajnie posprzątać park. Cóż, może chodziło o to, że siódmoklasiści zrobiliby tam niezły sajgon.

Dokonałem obliczeń, z których wynika, że każdy dorosły z mojej ulicy daje mi średnio dwadzieścia trzy dolary rocznie na szkolne zbiórki.

No i tak sobie myślę, że powinienem po prostu zapraszać sąsiadów raz w roku do siebie i ściągać z nich po dwadzieścia trzy baksy w gotówce. To oszczędziłoby nam wszystkim masy przykrości i nerwów.

Środa

W nocy padał śnieg, dokładnie tak jak przewidziała mama, i kiedy inne dzieciaki korzystały z dnia wolnego, ja błąkałem się po okolicy w poszukiwaniu zarobku.

Długo rozważałem, do czyich drzwi zapukać najpierw. Pani Durocher mieszka naprzeciwko, ale ona jest przesadnie wylewna i na ogół staram się jej unikać.

Jest jeszcze pan Alexander, który wprowadził się do domu po Snellach. Najwyraźniej w dzieciństwie zaniedbał ortodontę, bo nie ma zbyt prostego zgryzu. Niestety po raz pierwszy spotkaliśmy go w Halloween i tata uznał, że uzębienie pana Alexandra nie może być prawdziwe.

Dlatego postanowiłem ominąć również posesję pana Alexandra.

Niektórych ludzi z naszej ulicy unikam już całe WIEKI. Kiedy miałem mniej więcej cztery lata, rodzice wydali przyjęcie dla zaprzyjaźnionych małżeństw z sąsiedztwa, a ja podczas imprezy przyszedłem na dół, bo musiałem do łazienki.

Ale chyba jeszcze nie wiedziałem, że w takich sytuacjach zamyka się drzwi, no i do zajętego przeze mnie kibelka wparował pan Harkin.

Po wyjściu z łazienki odnalazłem mamę i naskarżyłem jej na pana Harkina. Narobiłem mu niezłego obciachu.

No więc nie mam zamiaru o nic prosić kolesia, na którego doniosłem, kiedy jeszcze chodziłem do przedszkola.

Po tym, jak zdałem sobie sprawę, że moje stosunki z sąsiadami są okropnie skomplikowane, postanowiłem podskoczyć na Prentice Lane, gdzie nadal mam czystą kartotekę.

Zacząłem od domu na rogu. Zastukałem do drzwi. Ale kobieta, która mi otworzyła, wcale nie była nieznajoma. Rozpoznałem w niej panią Melcher, jedną z kumpelek babci od bingo.

Powiedziałem pani Melcher, że chcę trochę dorobić i że mogę odśnieżyć jej podjazd za pięć dolców.

Na co ona odparła, że nikt jej nigdy nie odwiedza, i zaprosiła mnie do środka na ploteczki.

Nie chciałem być niegrzeczny, więc już w następnej sekundzie siedziałem w saloniku pani Melcher, otoczony rzeźbami ogrodowymi, które staruszka wniosła do domu na zimę. Czułem się trochę nieswojo, ale uznałem, że jeśli prosi się kogoś o pieniądze, to trzeba przynajmniej spróbować być miłym.

Jednak przez cały czas mogłem myśleć tylko o jednym: ile bym zarobił do tej pory, gdybym zapukał do innych drzwi.

Spędziłem tam chyba dobrą godzinę, zanim zdołałem znów napomknąć o odśnieżeniu podjazdu. Ale wtedy pani Melcher odparła, że za parę minut jej syn podjedzie swoim pikapem i odgarnie śnieg zupełnie za darmo. A więc to był stracony czas, którego nikt mi już nie zwróci.

Wróciłem zatem na Prentice Lane i zacząłem od nowa. Chyba większość ludzi była w pracy, bo długo trwało, zanim ktoś mi otworzył. Na progu zobaczyłem gościa, który wyglądał, jakby dopiero się obudził. Zaproponowałem, że odśnieżę mu podjazd za pięć baksów, a on na to, że umowa stoi.

Zabrałem się do roboty i szło mi nie najgorzej.

Ale nagle znowu zaczął padać śnieg.

Zanim skończyłem, naleciało tyle, że trudno było stwierdzić, czy w ogóle kiwnąłem palcem.

No więc zadzwoniłem do drzwi tego gościa i zapytałem, czy mam mu jeszcze raz odśnieżyć za kolejne pięć dolarów. Ale on na to nie poszedł.

A co gorsza, oświadczył, że mi nie zapłaci, dopóki podjazd nie będzie czyściutki, tak jak obiecałem. Widzicie? Właśnie dlatego człowiek powinien zawsze pamiętać o podpisaniu umowy przed wykonaniem zlecenia.

No to powlokłem się z powrotem na podjazd, ale śnieg tak dawał czadu, że nie wyrabiałem z odgarnianiem.

I wtedy wpadłem na pewien pomysł. Dom babci był przecież tylko parę ulic dalej, a przypomniałem sobie, że ona trzyma w garażu kosiarkę do trawy. No więc pobiegłem tam i przepchałem kosiarkę na podjazd faceta.

Stwierdziłem, że koszenie śniegu to genialny plan, i nie mogłem uwierzyć, że nikt jeszcze tego wynalazku nie opatentował.

Niestety odśnieżanie kosiarką nie szło tak gładko, jak przewidywałem. Myślałem, że śnieg będzie wypadał drugą stroną, ale ostrze po prostu przelatywało.

W końcu kosiarka zaczęła wydawać śmieszne dźwięki i nagle się zatrzymała.

Czyli takie maszyny jednak się nie sprawdzają w sezonie zimowym.

Przepchnąłem ten złom z powrotem do garażu babci. Przy odrobinie szczęścia rozmrozi się do wiosny.

Nadal nie uporałem się z podjazdem, a teraz to dopiero ŚNIEŻYŁO. I nie było takiej opcji, żebym spędził resztę dnia, zasuwając za marne pięć dolców. Potrzebowałem szybkiego rozwiązania.

Nagle zobaczyłem wąż ogrodowy przy ścianie domu, więc odkręciłem wodę, nastawiłem urządzenie na spryskiwanie i zacząłem podlewać śnieg na podjeździe.

To było ZAJEFAJNE. Woda topiła śnieg błyskawicznie. Wtedy zauważyłem zraszacz i JESZCZE ulepszyłem swój wynalazek.

Kiedy skończyłem, wyłączyłem zraszacz i zapukałem do drzwi faceta. Przekonał się, że na podjeździe jest czysto, i zapłacił mi mojego piątaka.

Byłem niesamowicie podekscytowany swoim odkryciem. Gdybym tylko znalazł więcej klientów ze zraszaczami, mógłbym likwidować śnieg na kilku podjazdach naraz!

Niestety nikogo więcej nie zastałem w domu. Ale ten pomysł i tak by się chyba nie sprawdził na dłuższą metę. Bo kiedy wracałem przez Prentice Lane, podjazd tamtego kolesia wyglądał jak lodowisko.

Jak tylko tata wrócił do domu, musieliśmy kupić pięć wielkich worków soli, żeby rozpuścić lód.

I teraz zamiast konkretnej kasy za moją harówkę mam dwadzieścia dolców w plecy.

Czwartek

Tata nie był zachwycony, że zmieniłem cudzy podjazd w ślizgawkę, i oznajmił, że martwi go mój „brak zdrowego rozsądku". Dokładnie tak samo wyraził się przed paroma tygodniami, kiedy zarysowałem mu samochód.

Cała afera zaczęła się od tego, że zostałem Uczniem Tygodnia. Gdy przyznają ci ten tytuł, dostajesz specjalną nalepkę na zderzak, którą możesz przykleić na samochodzie rodziców.

Ta nalepka wygląda trochę żenująco, ale mimo wszystko czadowo jest coś wygrać.

Niezupełnie wiem, czemu padło na mnie, ale najwyraźniej przyznają ten tytuł każdemu dzieciakowi. Fregley został Uczniem Tygodnia w zeszły piątek. Chyba nagrodzono go za to, że przez pięć dni z rzędu nikogo nie ugryzł.

Mama chciała przylepić naklejkę na swoim aucie, ale bałem się, że nie będzie jej widać wśród MILIONA innych. No więc spytałem tatę, czy on by jej nie wziął.

Niedawno zmienił samochód i pomyślałem, że taka nówka to właściwa oprawa dla Ucznia Tygodnia.

On jednak odpowiedział, że nie chce sobie brudzić auta. Najpierw byłem mocno rozgoryczony, ale w pewnym sensie go rozumiem. Nasza rodzina nigdy nie miała niczego naprawdę szałowego, więc kiedy tata wrócił do domu w sportowym wozie, opadła mi szczęka.

Mama była trochę zirytowana, bo tata nie obgadał z nią tego wydatku. Stwierdziła, że samochód jest „efekciarski" i „niepraktyczny" dla pięcioosobowej rodziny, ponieważ ma tylko dwoje drzwi.

Ale tata oświadczył, że o takie auto mu chodziło, i zatrzymał je.

Zupełnie nie wiedziałem, co zrobić z naklejką, więc powiedziałem Manny'emu, żeby ją sobie nalepił na jakiś samochodzik czy coś.

A smarkacz umieścił ją centralnie na samochodzie taty. Na drzwiach kierowcy.

Wpadłem w popłoch, bo wiedziałem, że to mnie się oberwie. Próbowałem ją zedrzeć, ale chyba użyli superkleju na odwrocie tego paskudztwa. No więc wziąłem mydło i wodę i zabrałem się do SZOROWANIA.

Jednak po dwudziestu minutach starłem tylko trochę po brzegach.

Zacząłem się rozglądać za innymi środkami czyszczącymi w szafce pod zlewozmywakiem i znalazłem druciaki ze stali nierdzewnej. Wyglądały bardzo profesjonalnie.

Dają radę garnkom i patelniom, więc co mi szkodziło spróbować? W końcu samochód to też metal.

No i faktycznie, dla druciaka to była łatwizna.

A że poszło tak gładko, trochę mnie poniosło. Zeskrobałem jeszcze ptasie kupy i martwe owady. Uznałem, że tata będzie zadowolony z samochodu na błysk i to zupełnie za darmo. Ale kiedy polałem auto strumieniem wody z gumowego węża, przeżyłem szok.

Stal usunęła nie tylko naklejkę, kupy i owady. Zdrapała też LAKIER.

Przerażony, zacząłem gorączkowo zamalowywać łyse punkty niezmywalnym flamastrem. Ale wyżarty ślad po naklejce był zbyt duży. Napisałem więc liścik, podrabiając charakter pisma mamy, i starannie go przykleiłem w zadrapanym miejscu.

Cześć, Kochanie!
Mam nadzieję, że dzień mija Ci przyjemnie!

PS Jeśli zostawisz tę wiadomość na samochodzie, jutro też będziesz mógł ją sobie przeczytać.

Myślałem, że w ten sposób zyskam kilka dni, ale tata od razu mnie przejrzał.

Miał mord w oczach, jednak mama stanęła w mojej obronie. Oświadczyła, że wszyscy popełniamy błędy i że na pewno zapamiętam tę lekcję.

Jestem teraz jej dłużnikiem. Uspokoiła tatę i nawet nie dostałem szlabanu.

Auto odstawiliśmy do dealera, żeby sprawdził, ile będzie kosztował nowy lakier.

Facet rzucił jakąś ogromną sumę, bo to był ponoć specjalny lakier dla bardziej wymagającego klienta.

Wtedy mama obwieściła, że to „znak": że kupienie ekskluzywnego samochodu było błędem i że tata powinien po prostu wymienić go na używanego minivana. No i tak też się stało.

A co zabawne, minivan MIAŁ JUŻ naklejkę z Uczniem Tygodnia na zderzaku po poprzednim właścicielu. Chociaż taty chyba nie rozśmieszył ten zbieg okoliczności.

Niedziela

Nasza rodzina zwykle chodzi do kościoła na dziewiątą, ale tym razem wybraliśmy się na mszę o jedenastej.

To nabożeństwo, podczas którego zespół folkowy gra na gitarach i innych instrumentach. W zeszłym tygodniu mama przekonała Rodricka, żeby dołączył do kapeli, bo znalazła ogłoszenie, że szukają „perkusisty".

Rodrick chyba sobie wyobrażał, że pozwolą mu walić w bębny w kościele, no więc się zgodził.

Ale zaraz się okazało, że grupa potrzebowała kogoś, kto będzie grał na LUDOWYCH instrumentach perkusyjnych, takich jak tamburyn czy kastaniety.

Rodrick stawał na głowie, żeby wyjść na luzaka przed całą parafią, ale to naprawdę trudne, jeśli jednocześnie potrząsa się grzechotkami.

Współczułem mu, bo ja kiedyś dałem się podobnie nabrać. Rok temu mama zasugerowała, że powinienem wstąpić do kościelnego Klubu Prawie Nastolatków. A kiedy jej posłuchałem, odkryłem, że „prawie nastoletność" jest bardzo ogólnym pojęciem.

Co rok nasza parafia urządza imprezę pod nazwą Hojne Drzewo. Ubodzy i potrzebujący wieszają koperty ze swoimi prośbami na choince, a potem każda rodzina bierze na chybił trafił taką kopertę i kupuje to, o czym jest mowa w liście.

O ile wiem, nic nie stoi na przeszkodzie, aby KTOKOLWIEK umieścił swoją prośbę na Hojnym Drzewie, więc postanowiłem spróbować szczęścia i sam też napisałem liścik.

Ale coś mi mówi, że mama i tata nie byliby zadowoleni. Dlatego zrobiłem wszystko, aby zachować swoją tożsamość w tajemnicy.

Nastolatek płci męskiej potrzebuje gotówki, tyle, ile zdołasz uzbierać. Zostaw, proszę, pieniądze w nieoznakowanej kopercie pod koszem na śmieci za kościołem.

PS Upewnij się, że nikt cię nie śledzi.

Poniedziałek

W tym roku szkoła wydzieliła część stołówki, żeby dzieciaki z alergią na orzechy mogły jeść osobno. Superpomysł, ale to oznacza, że reszta ma o wiele mniej miejsca niż przedtem.

Nie jestem nawet pewien, czy w naszej szkole jest ktoś z taką alergią, bo przez pierwsze dwa miesiące krzesła w strefie wolnej od orzechów zawsze stały puste.

Za to Ricardowi Freedmanowi chyba spodobała się myśl, że będzie miał tyle luzu za łokciami, bo dzisiaj wdarł się do strefy wolnej od orzechów, zajął miejsce na środku i zeżarł w luksusowych warunkach dwie kanapki z masłem orzechowym i dżemem.

Nauczyciele kazali zgromadzić się całej szkole w auli. Byliśmy strasznie podekscytowani, bo powiedzieli nam, że będziemy oglądać film. Ale to był tylko jeden z tych edukacyjnych programów o zdrowym żywieniu.

Wiem, że powinienem zdrowiej się odżywiać, ale jeśli wyrzucicie śmieciowe żarcie z mojej diety, mogę tego nie przeżyć. W jakichś 95% składam się z nuggetów.

Nasza szkoła wydała wojnę niezdrowym przekąskom. Automat nie sprzedaje już oranżady, tylko mineralkę, ale jeśli nauczyciele naprawdę chcą sobie liczyć dolara za butelkę wody, powinni postawić maszynę w innym miejscu.

Poza tym z menu zostały wyrzucone hot dogi i pizza. Nawet frytki poszły w odstawkę.

Zamiast nich są teraz Ekstremalne Sportowe Patyczki, ale potrzebowaliśmy nie więcej niż pięciu sekund, żeby je zdemaskować jako pokrojone marchewki.

Chociaż na ogół przynoszę lunch z domu, w stołówce zawsze kupowałem ciastka z kawałkami czekolady, które teraz zmieniły się w owsiane z rodzynkami. Nie przestałem ich kupować, ale muszę omijać rodzynki, a to bardzo pracochłonne.

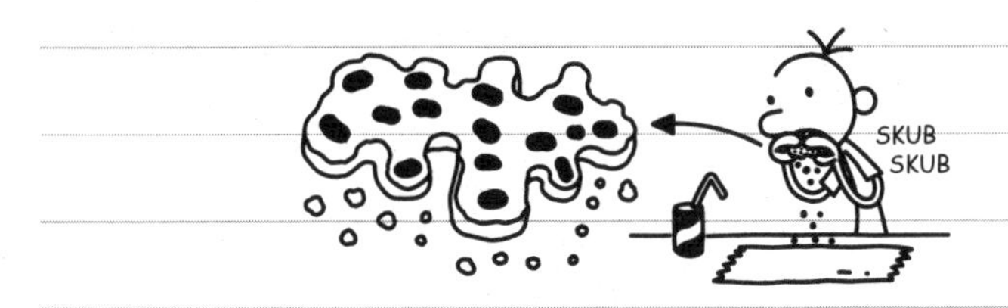

Nie macie pojęcia, ILE razy w życiu wgryzłem się owsiane ciastko z rodzynkami, myśląc, że to czekoladowe.

Przypuszczam zresztą, że te ciastka zostały wymyślone jako okrutny żart w zamierzchłych czasach i nigdy tak naprawdę nie służyły do jedzenia.

Większość dzieciaków w szkole olała zmianę jadłospisu, ale ludzie kompletnie się załamali, kiedy odebrano nam napoje energetyczne.

Szkoła wycofała Łobuzerski Łyk ze sprzedaży, bo zdaniem nauczycieli od tego czerwonego barwnika uczniowie robili się nadpobudliwi. No i wystarczyło zajrzeć do mojej klasy po lunchu, żeby zrozumieć, o co chodzi.

Kiedy napój zniknął, nałogowcy, którzy pili trzy albo cztery puszki dziennie, byli na totalnym głodzie. Niektórych odsyłano do pielęgniarki, bo mieli drgawki i dreszcze.

Szkoła nie oddała nam Łobuzerskiego Łyku, chociaż ludzie podnieśli STRASZNY krzyk. Ale kilka dni później Leon Goodson przyniósł potajemnie z domu cały plecak napoju. Sprzedawał go za trzy dolce od puszki.

Na dużej przerwie klienci Leona zaszyli się za szkołą i ukradkiem siorbali swój napój.

Jedna z naszych opiekunek, pani Lahey, nabrała podejrzeń i podkradła się do nich, żeby zobaczyć, co robią.

Kazała im natychmiast opróżnić puszki pod groźbą doniesienia o wszystkim dyrektorowi.

Ale kiedy tylko się odwróciła, dzieciaki ściągnęły trampki i zaczęły maczać w kałuży skarpetki.

Wtorek

Szkoła rozprawia się ostro z naszymi nawykami żywieniowymi także dlatego, że nadchodzi Prezydencki Test Sprawności, podczas którego prześwietlają cię na wszystkie sposoby. Na przykład sprawdzają, ile zrobisz brzuszków, ile razy się podciągniesz i tak dalej.

W ostatnim teście znaleźliśmy się wśród 10% szkół z najgorszymi wynikami w całym kraju i chyba dyrekcja nie chce powtórzyć tej kompromitacji.

Dorośli mówią, że dzieciaki z mojego pokolenia nie mają formy, bo nie uprawiają sportu, ale nie wydaje mi się, aby odebranie nam drabinek i huśtawek mogło znacząco poprawić sytuację.

W jednej części testu trzeba robić pompki. Dziewczyny z mojej klasy wypadły lepiej niż chłopaki, ale tylko dlatego, że dostały fory.

Chłopaki musiały trzymać się prosto i pokonywać całą odległość do podłogi i z powrotem.

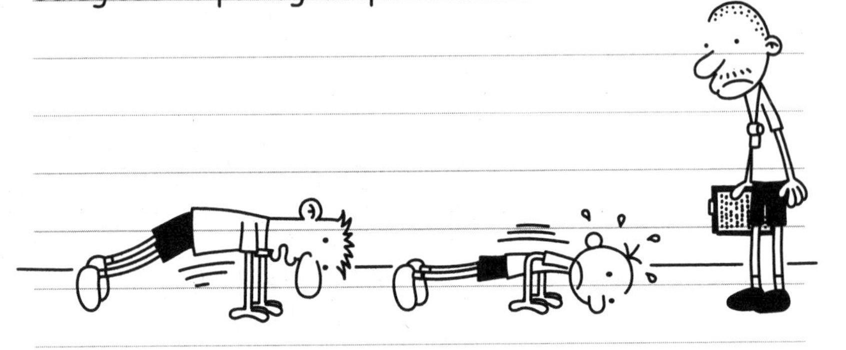

Ale pannom pozwolono dotykać kolanami ziemi, więc miały NIESAMOWITE ułatwienie.

Jednak nie wszystkie dziewczyny były z tego zadowolone. Niektóre podpisały nawet petycję, w której domagały się równouprawnienia na teście.

Nie mam wątpliwości, skąd im się to wzięło. Na wiedzy o społeczeństwie właśnie się uczymy, jak okazywać niezadowolenie, żeby postawić na swoim.

Dziewczyny chyba po cichu liczyły, że wywołają jakąś awanturę, ale pan Underwood powiedział, że mogą ćwiczyć, jak im się tylko podoba. No i teraz wszyscy jedziemy na tym samym wózku.

Petycja dziewczyn podsunęła mi pewną myśl. Dotarło do mnie, że skoro one mają prawo robić trudniejsze pompki, to chłopaki powinny mieć prawo do robienia łatwiejszych. No więc napisałem własną petycję i zacząłem zbierać podpisy.

Ale trochę dziwnie się poczułem, kiedy zobaczyłem, kto chce poprzeć mój wniosek, i w końcu dałem sobie spokój z tym pomysłem.

Kilka tygodni temu robiliśmy brzuszki na wuefie. Złapał mnie skurcz i zapytałem pana Underwooda, czy mogę dokończyć w domu. Powiedział, że tak, jeśli zdołam udowodnić, że ćwiczyłem.

Następnego dnia rano wziąłem tusz do rzęs mamy i namalowałem sobie kaloryferek na brzuchu. A potem tylko zdjąłem koszulkę, kiedy pan Underwood przechodził przez męską przebieralnię.

Natychmiast zdobyłem masę naśladowców: dzień później połowa gości z mojej klasy popisywała się WŁASNYMI fałszywymi mięśniami.

I muszę stwierdzić z przykrością, że niektórzy z nich nie mają POJĘCIA o sztuce makijażu.

Chociaż pan Underwood chyba i tak niczego nie zauważył. Przynajmniej do czasu, gdy wszyscy się spociliśmy i tusz spłynął nam z brzuchów.

Środa

Przez ostatnie dni dostawałem ostrzeżenia od Zwierzaków Sieciaków. Jeśli szybko nie zdobędę wirtualnej gotówki, będę miał kłopoty.

Zapytałem mamę, czy nie odpaliłaby mi chociaż kilku dolców, żeby nastrojomierz znów wskazywał „wyluzowany", ale ona nie chce o tym słyszeć.

Dodała jeszcze, żebym się nie spodziewał w tym roku kieszonkowego na prezenty świąteczne dla rodziny. Oświadczyła, że jestem wystarczająco duży na to, aby z własnych oszczędności obdarować najbliższych, i że tylko wtedy moje upominki będą „coś znaczyć".

Dotąd mama dawała mi zawsze dwadzieścia dolarów, a ja robiłem zakupy na szkolnym kiermaszu świątecznym. To supersprawa, bo można załatwić wszystkie gwiazdkowe sprawunki od ręki, a te rzeczy na kiermaszu są niesamowicie tanie.

Tak więc zawsze zostawało mi trochę drobnych na własne potrzeby.

Zazwyczaj większość kasy wydaję w bufecie. Są tam najlepsze kurze udka, jakie w życiu jadłem, ale nazywają się tak beznadziejnie, że czuję się idiotycznie, kiedy je zamawiam.

Nie wiem, skąd wytrzasnę forsę, żeby kupić prezenty. Właściwie poza Bożym Narodzeniem na przypływ gotówki mogę liczyć tylko w urodziny.

Całe szczęście, że nie wypadają w okolicach Gwiazdki i że dostaję OSOBNE prezenty. Współczuję ludziom, którzy obchodzą urodziny w okresie świątecznym. Rodzina zawsze próbuje ich oszukać.

Co jest bardzo brzydkim zachowaniem, ale zapewne znanym od tysięcy lat.

Coś sobie dzisiaj uświadomiłem. Może i jestem spłukany, ale mam jedną CENNĄ rzecz: pierwsze wydanie powieści graficznej „Wieża druidów" z autografem.

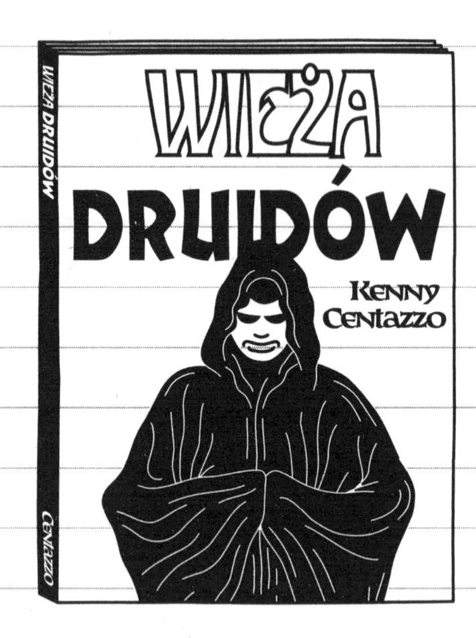

Zdobyłem podpis autora, Kenny'ego Centazza, na konwencie komiksowym.

No dobra, nie osobiście. Właściwie to wysłała go mama. Czekałem w kolejce dwie i pół godziny, a potem musiałem pobiec do łazienki. Kiedy wróciłem, mama miała już ten autograf.

Byłem zły, że nie zobaczyłem Kenny'ego Centazza, no ale przynajmniej podpisał mi książkę.

Dzisiaj zajrzałem do internetu i odkryłem, że pierwsze wydanie „Wieży druidów" z autografem warte jest czterdzieści dolców. To pokryłoby moje świąteczne wydatki, a nawet zostałoby mi na jacuzzi, które Mały Przyjaciel Gregory'ego najwyraźniej strasznie chciałby mieć.

Opowiedziałem o swoim planie mamie, ale w ogóle się jej nie spodobał. Przekonywała mnie, że przecież długo czekałem na podpis autora i że będę żałował.

A potem jeszcze dodała, że moje dzieci potwornie się kiedyś wściekną, że sprzedałem „Wieżę druidów", bo w przyszłości będzie bezcenna.

Dobra, to przesądziło sprawę. Już postanowiłem, że NIE BĘDĘ miał dzieci. Chcę zostać starym kawalerem jak wujek Charlie, który wydaje pieniądze na wakacje, ogrzewane deski klozetowe i tak dalej, a nie na bandę niewdzięcznych bachorów.

Serię „Wieża druidów" odkryłem dzięki bibliotekarce, pani Schneiderman, bo to ona stworzyła dział POWIEŚĆ GRAFICZNA w naszej wypożyczalni książek.

Nie wiem, kiedy komiks zaczęto nazywać powieścią graficzną, ale ja nie mam nic przeciwko tej nazwie. Co prawda niektórzy nauczyciele twierdzą, że to nie jest PRAWDZIWE czytanie, ale moim zdaniem skoro komiksy są w bibliotece, to można z nich pisać wypracowania i już.

Kiedy pani Schneiderman założyła dział z powieścią graficzną, niestety pozbyła się działu JUŻ CZYTAM, czego bardzo żałuję. Używałem tych książeczek do odrabiania prac domowych z wiedzy o społeczeństwie, bo można je było przekartkować w czterdzieści pięć sekund.

W dzieciństwie sam chciałem zostać pisarzem. Ale kiedy dzieliłem się z mamą swoimi pomysłami, gasiła mnie, mówiąc, że takie książki już powstały.

Zdałem sobie wtedy sprawę, że wszystkie dobre pomysły zostały zajęte, zanim jeszcze przyszedłem na świat.

Mama powiedziała, że jeśli chcę pisać, powinienem spróbować wymyślić coś oryginalnego. Ale to było takie trudne, że w końcu przepisałem jedną z moich ulubionych bajek, trochę ją podrasowując.

Kiedy skończyłem, mama była pod ogromnym wrażeniem i chyba pomyślała, że ma w domu geniusza czy coś w tym stylu.

Ale trochę ją poniosło, bo wysłała moją książkę do nowojorskiego wydawcy, który odpisał, że splagiatowałem „Goryla Grześka", bestseller literatury dziecięcej.

Mama okropnie się wściekła, że popełniłem plagiat, chociaż dziwi mnie, że sama na to nie wpadła.

Dinozaur Grzesiek huśta się na lianach. Siedzi wysoko na drzewie i je banana. „Uuuu" – mówi Grzesiek i bije się pięściami w pierś.

Czwartek

No cóż, wyszło na jaw, że moje wydanie „Wieży druidów" nie ma żadnej wartości. Wczoraj po południu zaniosłem książkę do komiksiarni z nadzieją, że uda mi się ją spieniężyć, ale gościu, który tam pracuje, powiedział, że autograf jest fałszywką.

Odparłem, że chyba oszalał i że moja mama osobiście patrzyła autorowi na ręce. Ale gościu od komiksów wyciągnął jakiś katalog z podpisem Kenny'ego Centazza i fakt, charakter pisma wyglądał ZUPEŁNIE inaczej.

Nie wiedziałem, co o tym myśleć, i dopiero w drodze do domu doznałem olśnienia. Jasna sprawa, mamie pewnie znudziło się stać w kolejce, więc SAMA podpisała mi książkę. Zresztą treść wpisu powinna była od razu wzbudzić moje podejrzenia.

Kto czyta, nie błądzi! Bądź wierny książkom, a spełnią się Twoje marzenia!

Twój kumpel, Kenny

To nie pierwszy numer, jaki mama mi wywinęła. A wszystko dlatego, że ona ma ZEROWĄ cierpliwość do stania w kolejkach.

Kiedy byłem mały, chciałem mieć zdjęcia ze wszystkimi postaciami w parkach rozrywki. Ale jeśli gdzieś było więcej niż pięć minut czekania, mama po prostu wpychała się na początek kolejki, a potem pstrykała zdjęcie postaci i przypadkowego dzieciaka. To dlatego w naszych albumach z wakacji jest tylu obcych ludzi.

W domu poszedłem z „Wieżą druidów" prosto do mamy, a jej mina powiedziała mi wszystko. Teraz przynajmniej wiem, skąd ta dziwna niechęć do sprzedaży komiksu.

Mam nadzieję, że mama nie robi sobie żadnych złudzeń. Może winić tylko siebie, jeśli w tym roku nie dostanie ode mnie prezentu.

Piątek

Nadal byłem wściekły na mamę o to podrobienie autografu, ale muszę przyznać, że ogromnie mi dzisiaj pomogła. W szkole zobaczyłem, że Rowley trzyma jakąś paczuszkę. Zapytałem, co to takiego, a on odparł, że przyniósł prezent dla swojego Tajemniczego Gwiazdkowego Kolegi.

NA ŚMIERĆ zapomniałem o tej całej historii z Tajemniczym Gwiazdkowym Kolegą!

Każdy uczeń miał kupić prezent dla wylosowanej osoby i dostarczyć go anonimowo.

Mnie wypadł Dean Delarosa, którego znam od bardzo dawna. W trzeciej klasie zostałem zaproszony na jego przyjęcie urodzinowe, ale mamie pomyliły się dni i przyszliśmy ZA WCZEŚNIE.

Mama Deana wyjaśniła, że impreza jest za tydzień, i musieliśmy wrócić do domu.

Jednak prezent, który kupiliśmy dla Deana, był strasznie fajny i w końcu sam zacząłem się nim bawić.

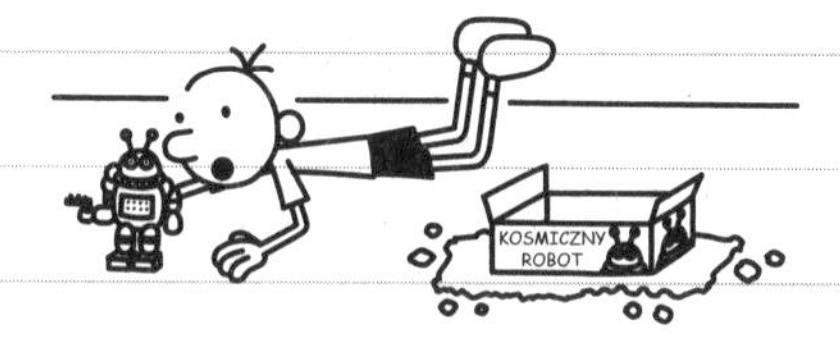

No a w dniu imprezy robot nie miał już ani ręki, ani superbroni, która gdzieś się zawieruszyła, więc odpuściłem sobie te urodziny.

Od tamtej pory miałem wyrzuty sumienia i teraz nie chciałem oszukać Deana na prezencie po raz kolejny. Dlatego poprosiłem szkolną sekretarkę, żeby zadzwoniła do mamy i powiedziała jej, co i jak.

A mama zdążyła w ostatnim momencie.

Nauczycielka zaczęła wręczać prezenty od Tajemniczych Gwiazdkowych Kolegów. Ja dostałem słój pełen żelków. Aż wreszcie na choince została już tylko jedna paczka. Ta dla Deana.

No i kanał. Bo mama najwyraźniej nie zrozumiała, że podarunek ma być ANONIMOWY. Przeżyłem straszne upokorzenie, kiedy nauczycielka przeczytała napis na karteczce.

Dean wyglądał, jakby chciał wczołgać się pod krzesło ze wstydu. Ja zresztą czułem dokładnie to samo.

Sobota

Zawsze sądziłem, że Kurze Maczugi można dostać w jednym tylko miejscu na świecie: na kiermaszu świątecznym. Ale dzisiaj mama zabrała mnie do spożywczaka i nie UWIERZYCIE, co znalazłem w sklepowej zamrażarce.

Teraz już wiem, że mogę mieć Kurze Maczugi, kiedy tylko zechcę, i że na kiermaszu TOTALNIE zdzierają z nas skórę. Tu całe PUDŁO kosztuje tyle, ile trzy albo cztery udka w szkolnym bufecie.

A kiedy to zrozumiałem, nagle mi zaświtało, że przecież mogę zorganizować swój WŁASNY kiermasz świąteczny.

Ale w tym celu musiałem najpierw przechytrzyć konkurencję, to znaczy wykupić cały towar.

Dzieciaki z sąsiedztwa robiły już podobne rzeczy. Latem Bryce Anderson i jego paczka otworzyli restaurację dla rodziców.

Słyszałem, że zgarnęli prawie trzysta dolców na czysto. I wiem z pierwszej ręki, że jeden z kumpli Bryce'a kupił za swoją działkę nowiutką wiatrówkę.

Sam nie dałbym sobie rady z kiermaszem, więc zadzwoniłem po Rowleya. W piwnicy znaleźliśmy trochę ozdób świątecznych i innych rzeczy, które można by sprzedać. Ale jeśli mamy konkurować ze szkolną imprezą, powinniśmy mieć fajniejsze gry niż rzut podkową czy ping-pong.

Rowley zaproponował zabawę w maczanego, ale powiedziałem, że mama raczej nie zgodzi się na coś takiego w domu. Poza tym zeszłego lata graliśmy w maczanego podczas Jajcarskiego Jarmarku w ogródku Jeffersonów i to była PORAŻKA.

Nie mieliśmy pojęcia, że gościa, który ma być maczany, trzeba wsadzić do specjalnej piłkoodpornej klatki.

Uznaliśmy, że byłoby zajefajnie, gdybyśmy mieli na naszej imprezie salon gier. Nie stać nas na prawdziwe automaty, ale wyciągnęliśmy z piwnicy trochę pudeł kartonowych, żeby z nich zbudować wersje domowe maszyn.

Zaczęliśmy od Pac-Mana, bo wydawał nam się dziecinnie prosty do zaprojektowania. Generalnie Pac-Man polega na tym, że masz tego żółtego gostka, który lata po labiryncie, zżera kulki i jest ścigany przez potwory.

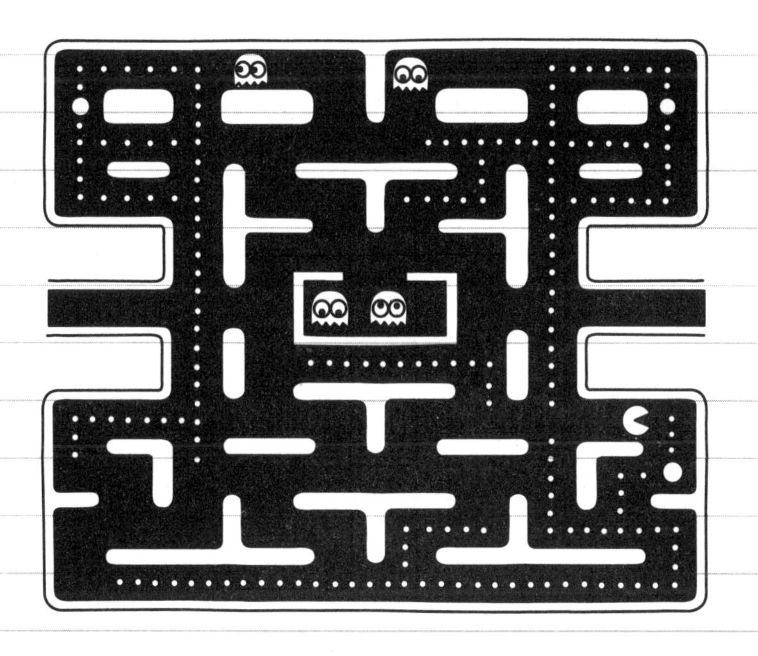

W naszej wersji Rowley miał siedzieć w pudle i poruszać potworami przyklejonymi do ołówków. Rolą gracza było przesuwanie Pac-Mana z zewnątrz za pomocą patyczka po lodach.

Następne dwie godziny spędziliśmy na podrasowywaniu naszego pudła, żeby wyglądało jak prawdziwy automat.

Nagle podczas pracy Rowley zaczął się dopytywać, jak długo będzie musiał siedzieć w pudle, i co, jeśli mu się zachce do kibelka. No to dołączyłem do zestawu dwulitrową butelkę po napoju gazowanym, na wypadek gdyby faktycznie musiał siku.

Ale Rowley nie dawał za wygraną. Spytał, co będzie, jak oprócz siku zachce mu się coś jeszcze. Odpowiedziałem, żeby nie komplikował.

Kiedy już pokolorowaliśmy naszą maszynę, zaczęliśmy wycinać labirynt, po którym miały popylać potwory na patyczkach.

Ale chyba nie byliśmy zbyt sprytni, bo jak tylko wycięliśmy labirynt do końca, cały ekran wleciał do środka.

No więc raczej nie zbijemy majątku na kartonowym Pac-Manie, chyba że ludzie zechcą wyskakiwać z dwudziestu pięciu centów za popatrzenie na Rowleya siedzącego w pudle.

Niedziela

Nadal jesteśmy urobieni po łokcie w związku z kiermaszem, ale dotarło do mnie, że już najwyższy czas zareklamować naszą imprezę. Poszliśmy dzisiaj do biura ogłoszeń lokalnej gazety i powiedzieliśmy, że chcemy wykupić ogłoszenie w kolorze na całą stronę w jutrzejszym wydaniu.

Ludzie z gazety oświadczyli, że to będzie nas kosztować tysiąc dolarów, na co odparliśmy, że spoko, tylko zapłacimy PO imprezie. Ale oni nie chcieli się zgodzić, nawet kiedy zdradziłem im swój tajny plan z Kurzymi Maczugami.

Zasugerowałem, żeby może po prostu napisali artykuł o dwóch zwyczajnych dzieciakach z sąsiedztwa urządzających własny kiermasz. Wtedy wcale nie musielibyśmy płacić.

Ale oni odparli, że nasz kiermasz nie wydaje im się szczególnie gorącym tematem.

To naprawdę totalny kwas, że gazeta trzyma łapę na wszystkich informacjach i decyduje, o czym ludzie się dowiedzą, a o czym nie. W domu poskarżyłem się mamie, a ona zapytała, czemu ja i Rowley nie mielibyśmy założyć WŁASNEJ gazety i napisać w niej o kiermaszu.

Uznałem, że to GENIALNY pomysł, i wzięliśmy się do roboty. Wymyśliliśmy nazwę dla gazety i zredagowaliśmy pierwszą stronę.

Plotkarz SĄSIEDZKI

Przekręt drobiowy ZDEMASKOWANY!

Reporterzy „Plotkarza Sąsiedzkiego" donoszą o nieuzasadnionym windowaniu cen przez szkolny kiermasz świąteczny, na którym od lat nie przeprowadzano kontroli. Popularny produkt o nazwie Kurze Maczugi jest sprzedawany na kiermaszu ponadsześciokrotnie drożej niż u lokalnych detalistów.
– Jestem oburzony – mówi stały bywalec imprezy, który nie chce ujawniać swojego nazwiska

ciąg dalszy na stronie 2

Nowy kiermasz alternatywą dla szkolnej imprezy

Podczas gdy opinia publiczna nie może ochłonąć na wieść o skandalicznej polityce cenowej szkoły, dwaj chłopcy ratują sytuację.

– Postanowiliśmy zorganizować własny kiermasz – mówi Greg Heffley, drobny przedsiębiorca.

ciąg dalszy na stronie 3

Wiedzieliśmy, że musimy mieć więcej stron, jeśli chcemy, żeby ludzie traktowali nas poważnie, i przeprowadziliśmy burzę mózgów. Uznałem, że potrzebujemy komiksu, więc zaczęliśmy od pasków.

Potem dorzuciliśmy kącik porad, w którym ludzie pisaliby o swoich problemach. Ale nie mogliśmy czekać, aż czytelnicy przyślą pytania, więc po prostu sami je wymyśliliśmy.

Zapytaj Grega

Drogi Gregu,

moja żona ciągle mnie krytykuje. Parę dni temu było dosyć chłodno, więc włożyłem skarpetki i sandały. A ona kazała mi wrócić do domu po buty! Nie chcę być traktowany jak dzieciko, ale żona ma bardzo silny charakter i boję się ją rozzłościć. Co robić?

Z poważaniem,
SFRUSTROWANY

Drogi SFRUSTROWANY,
nigdy, PRZENIGDY nie wolno nosić skarpetek do sandałów! Musisz natychmiast przeprosić żonę.

Greg

Drogi Gregu,
czy jesteś wolny?

Z poważaniem,
KOBIETY

Drogie KOBIETY,
hm, no cóż, w zasadzie jestem!

Greg

Rowley niesamowicie się podjarał tą całą gazetą. Oświadczył, że chce być prawdziwym reporterem i rozejrzeć się za jakąś mocną historią. Poradziłem mu, żeby powęszył po okolicy, a może wyśledzi jeszcze jedną podejrzaną aferę. Ale kiedy wrócił, nie przyniósł, delikatnie mówiąc, sensacyjnego newsa.

Kocie sprawy

ROWLEY JEFFERSON

Mitenka korzysta z pięknej pogody.

Wczoraj widziano kotkę pani Salter, Mitenkę, bawiącą się w ogródku. Mitenka spędziła półtorej godziny na gonieniu motyla, który latał wokół azalii. Kiedy odfrunął, kociczka bardzo się zainteresowała czymś, co skakało niedaleko werandy. Jednak zanim wasz reporter zdołał podkraść się bliżej i sprawdzić, na co poluje Mitenka, to coś odkicało w niewiadomym kierunku.

Po przeczytaniu tego reportażu mianowałem się redaktorem naczelnym. Muszę kontrolować treść zamieszczanych artykułów, bo gdyby dać Rowleyowi wolną rękę, nasz dziennik zamieniłby się w książeczkę do kolorowania dla małych dziewczynek.

Mama powiedziała, że powinniśmy pójść do miasta i poszukać ludzi, którzy zamieściliby płatne ogłoszenie. To pokryłoby koszt pierwszego druku. Jednak jedyną osobą chętną do wykupienia reklamy był Tony z Pizzy Papy Tony'ego. Nie mam złudzeń: wyskoczył z kasy tylko dlatego, że jadamy u niego co najmniej dwa razy w tygodniu i bał się stracić stałych klientów.

Pieniądze od Tony'ego wystarczyły na kolorowy atrament do drukarki, więc wydrukowaliśmy sto egzemplarzy gazety.

Poniedziałek

Wczoraj kręciliśmy się po mieście, próbując sprzedawać nasz dziennik, ale nikt nie chciał płacić i wreszcie musieliśmy zacząć go rozdawać. Kiedy podarowaliśmy egzemplarz Tony'emu, nie był zachwycony, bo reklama sąsiadowała z negatywną recenzją jego restauracji.

Papa Tony schodzi na psy!

GREG HEFFLEY
krytyk kulinarny

Zauważyliście, że jakość w lokalu Papy Tony'ego dramatycznie się pogorszyła?

Najpierw pizzę z pieczonym kurczakiem zastąpiła pizza szpinakowa.

Potem Papa Tony przestał podawać wodę sodową z sokiem winogronowym – tę, której nigdzie indziej nie można dostać. Teraz muszę pić piwo korzenne, a to już nie to samo.

Poza tym woda na ogół nie jest dobrze wymieszana z syropem, no więc albo pijecie szlamowaty syrop kukurydziany, albo samą sodówę. Myślę, że chodzi tu o to, aby człowiek zraził się do wody z saturatora i zaczął kupować tę z puszki, która kosztuje dwa razy tyle.

Ostatnie moje zażalenie dotyczy serwetek. Kiedyś można było je brać pełnymi garściami, ale teraz Tony wydziela tylko dwie, a jak wyciąga się rękę po więcej, patrzy spode łba.

Powiedziałem Papie Tony'emu, że jeśli wykupi WIĘKSZE ogłoszenie w NASTĘPNYM wydaniu, zobaczę, co da się zrobić, i może załatwię bardziej przychylną ocenę jego lokalu.

Zostało nam kilkadziesiąt egzemplarzy „Plotkarza Sąsiedzkiego", więc pomyślałem, że skoro już są darmowe, to możemy wepchnąć je ludziom w szkole.

Ale kiedy zacząłem rozdawać gazety dzieciakom, wicedyrektor Roy zapytał, co ja właściwie robię.

Oznajmił, że nie wolno mi rozprowadzać „nieautoryzowanej publikacji" na terenie szkoły i że musi skonfiskować pozostałe egzemplarze. Ale ja wiem, o co tak NAPRAWDĘ chodzi. Wicedyrektor nie chce konkurencji dla swojego kiermaszu.

Strasznie się zdenerwowałem, a po powrocie do domu wcale mi nie przeszło. Stwierdziłem, że muszę bronić wolności wypowiedzi. Wicedyrektor Roy nie zmusi nas do milczenia.

Co prawda odebrano mi gazety, ale doszedłem do wniosku, że mogę zrobić ogłoszenia i powiesić je w różnych miejscach, żeby reklamowały kiermasz.

Wiedziałem, że mama trzyma w pralni karton i flamastry potrzebne do różnych prac domowych, więc wziąłem się do roboty. Użyłem wściekle zielonego kartonu, bo chciałem, żeby moje ogłoszenie dawało po oczach.

Po obiedzie zadzwoniłem do Rowleya i poszliśmy na miasto. Zaczęliśmy od szkolnego muru, aby rodzice zobaczyli ogłoszenia, kiedy rano przywiozą dzieciaki na lekcje.

Ale właśnie wtedy jak na złość się rozpadało i tusz spłynął z kartonów. Ogłoszenia stały się zupełnie nieczytelne.

Kiedy jednak zaczęliśmy je zrywać, przeżyliśmy szok. Deszcz rozpuścił też jadowicie zielony barwnik z kartonów, no i teraz na murze były monstrualne seledynowe plamy.

Próbowaliśmy jakoś się pozbyć tej paskudnej zieleni, ale bez skutku, była niezmywalna jak mazak do płyt.

Absolutnie nie mogliśmy zostawić czegoś takiego, więc gorączkowo myślałem, co robić. I właśnie wtedy ktoś pojawił się na ulicy.

Oczywiście spanikowaliśmy i daliśmy w długą. Przebiegliśmy przez parking, a potem przez nasz skrót w lasku. Zatrzymaliśmy się dopiero wtedy, gdy nabraliśmy pewności, że nikt nas nie ściga.

Chyba jednak nie należało uciekać, tylko spokojnie wyjaśnić całą sytuację. Nie wiem, czy ten, co wrzeszczał, był czyimś ojcem, czy może POLICJANTEM, ale mam nadzieję, że nas nie rozpoznał. Bo jeśli tak, to wpadliśmy po USZY.

Wtorek

Rano miałem wrażenie, że wczorajszy wieczór był tylko złym snem. Ale wtedy na stole w kuchni zobaczyłem gazetę.

Goniec Codzienny

Wandale dewastują szkołę

Zeszłej nocy młodociani sprawcy zostawili na szkolnym murze te zielone plamy.

Portrety pamięciowe w oparciu o zeznania naocznego świadka.

Podejrzani uciekli z miejsca przestępstwa, spłoszeni przez przechodnia.

Pod osłoną nocy i deszczu chuligani zniszczyli mur szkoły.

Znaczenie jaskrawozielonych kleksów nadal jest niejasne, lecz policja sugeruje, że może chodzić o wojny gangów.

– Przez ostatnie pół roku grafficiarze spowodowali wiele szkód w naszym mieście – stwierdził sierżant Peters z miejscowej policji.

ciąg dalszy na stronie 2

A więc teraz jestem KRYMINALISTĄ. Wierzcie lub nie, ale nie po raz pierwszy zostałem fałszywie oskarżony.

Kiedy byłem harcerzem, chciałem zasłużyć na odznakę dobrymi uczynkami. Mama powiedziała, że powinienem sprawdzić w domu spokojnej starości, czy aby pensjonariusze nie potrzebują pomocy z noszeniem zakupów albo czymś podobnym. I kazała Rodrickowi mnie podwieźć.

Gdy tylko podjechaliśmy na parking, zobaczyliśmy starszą panią, która wyglądała, jakby się zgubiła.

Zapytaliśmy, czy nie potrzebuje przypadkiem pomocy, a ona odpowiedziała, że nie, bo idzie tylko do supermarketu na tyłach budynku. Ale ja wiedziałem, że najbliższy supermarket znajduje się prawie osiem kilometrów dalej w przeciwnym kierunku, więc zaproponowałem, że ją podwieziemy.

Był tylko jeden warunek: staruszka musiała usiąść z tyłu, bo ja już sobie zaklepałem miejscówkę obok kierowcy.

Podrzuciliśmy starszą panią do sklepu, a potem pojechaliśmy do domu. Nie mogłem się doczekać opowiedzenia mamie o swoim dobrym uczynku. Opisałem, jak zawieźliśmy staruszkę do supermarketu oddalonego o kilka dobrych kilometrów od ośrodka, co zaoszczędziło jej długiej drogi.

Ale mama powiedziała, że niedawno otworzyli zupełnie nowy supermarket obok domu spokojnej starości i że ta kobieta prawdopodobnie właśnie TAM chciała dotrzeć. Co oznacza, że niepotrzebnie wywieźliśmy ją tak daleko i że teraz pewnie nie może wrócić.

Mama poleciła nam natychmiast odszukać staruszkę, no więc kopsnęliśmy się jeszcze raz do supermarketu. Niestety kasjerka oświadczyła, że ta pani już wyszła.

W końcu ją odnaleźliśmy. Szła z zakupami wzdłuż autostrady.

Zaoferowaliśmy jej podwózkę, ale nie było mowy, nie chciała nawet słyszeć o tym, żeby wsiąść do vana.

Myślę, że zaraz po powrocie zadzwoniła do lokalnej stacji telewizyjnej, bo wieczorem pojawiliśmy się w wiadomościach.

Ta afera z wandalizmem jest DUŻO poważniejsza. Na szczęście portrety pamięciowe naocznego świadka nie są zbyt udane, więc pomyślałem, że może sprawa jakoś przycichnie. Ale następnego dnia dosłownie cała szkoła chciała gadać tylko o zielonych plamach.

Nauczyciele kazali nam się zebrać na trzeciej lekcji i wygłosili wykład o „pseudograffiti". Wicedyrektor Roy powiedział, że ktoś ubrudził mur sprejem i że zamachowcy z pewnością są wśród nas.

Dodał, że niektórzy uczniowie bez wątpienia wiedzą, o kogo chodzi, i że to straszne, kiedy człowieka gryzie sumienie. Oświadczył, że w stołówce pojawi się specjalne pudełko, do którego będzie można wrzucać anonimowe donosy.

Podczas lunchu zauważyłem, że Rowley umiera ze strachu, więc mu przypomniałem, że ten cały „wandalizm" jest totalną bzdurą i że nie zrobiliśmy nic złego. Ale on odparł, że jeśli zabagni sobie życiorys, to nie dostanie się na studia, nie znajdzie pracy i w ogóle zrujnuje sobie życie. Trochę mi zajęło, zanim go przekonałem, żeby zachował zimną krew i poczekał, aż wszystko przyschnie.

Po lunchu do szkoły przyjechała POLICJA i wicedyrektor Roy zaczął wzywać uczniów na przesłuchanie. Najpierw się przestraszyłem, że ktoś nas zidentyfikował, ale potem sobie uświadomiłem, że pan Roy wywołuje największych zadymiarzy.

Wtedy zrozumiałem, że nic na nas nie mają, i przestałem się przejmować.

Na przerwie niejaki Mark Ramon opowiedział nam, jak wyglądało przesłuchanie. Policjanci mieli ze sobą jakąś maszynę, podobno wykrywacz kłamstw. Poinformowali Marka, że ten sprzęt jest niezawodny i że nie ma sensu kręcić.

Mark powiedział, że ten cały „wykrywacz kłamstw" wyglądał zupełnie jak kserokopiarka. Ale kiedy jakaś jego odpowiedź nie spodobała się policjantom, sierżant Peters nacisnął guzik „kopiuj" i ze środka wyleciała kartka papieru.

On kłamie.

Chyba policja dała sobie jednak spokój, bo po lunchu wicedyrektor Roy przestał wzywać uczniów na rozmowę. Wreszcie odetchnąłem.

Środa

Myślałem, że historia z zielonymi plamami należy już do przeszłości, więc totalnie się zdziwiłem, kiedy usłyszałem SWOJE nazwisko podczas porannych ogłoszeń.

Wszedłem do gabinetu pana Roya, a on kazał mi usiąść. Powiedział, że wie już o moim udziale w aferze z graffiti i chce wiedzieć, czy mam coś na swoją obronę.

Rozejrzałem się po pokoju w poszukiwaniu wykrywacza kłamstw, ale nigdzie go nie było, więc postanowiłem siedzieć cicho i może co najwyżej zażądać adwokata. Wtedy wicedyrektor Roy wyciągnął jakąś karteczkę z pudełka na anonimy i pokazał mi ją.

To ja i Greg Heffley zdewastowaliśmy szkołę.

I nagle wszystko stało się jasne.

Rowley wyznał naszą wspólną winę, przy czym sam zachował anonimowość. Nie wiem, czy działał z premedytacją, czy też jest skończonym idiotą, ale mam wrażenie, że to drugie.

W tej sytuacji nie widziałem powodu, aby dalej odgrywać święte oburzenie, więc opowiedziałem wszystko: o ogłoszeniach, o deszczu, o tym, jak spanikowaliśmy i uciekliśmy.

Wicedyrektor przez moment się zastanawiał, po czym oświadczył, że mogłem się przyznać wcześniej i że musi mnie ukarać, abym dobrze zapamiętał tę lekcję. Powiedział, że po zajęciach mam usunąć zielone plamy wybielaczem.

A potem dał mi możliwość wyboru.

Oznajmił, że mogę wydać „wspólnika" albo wziąć na siebie całą winę i karę.

Wierzcie mi, przez moment się wahałem. Naprawdę miałem ochotę pogrążyć Rowleya za to, że mnie wsypał, ale z drugiej strony nie było sensu, abyśmy obaj ponosili konsekwencje. Tym bardziej że to był w sumie mój pomysł.

No więc postanowiłem, że tym razem ja będę chłopcem do bicia.

Mam nadzieję, że Rowley jakoś mi się zrewanżuje, jeśli trafi na dobrą uczelnię albo zrobi zawrotną karierę.

Czwartek

Wczoraj przez dwie godziny zeskrobywałem to zielone paskudztwo z muru. Próbowałem przekonać pana Roya, żeby dał mi trochę zmywaków ze stali nierdzewnej, co znacznie przyspieszyłoby sprawę, ale powiedział, że wybielacz wystarczy.

Dotarłem do domu o piątej i na drzwiach znalazłem list. Kiedy go przeczytałem, prawie padłem trupem z wrażenia.

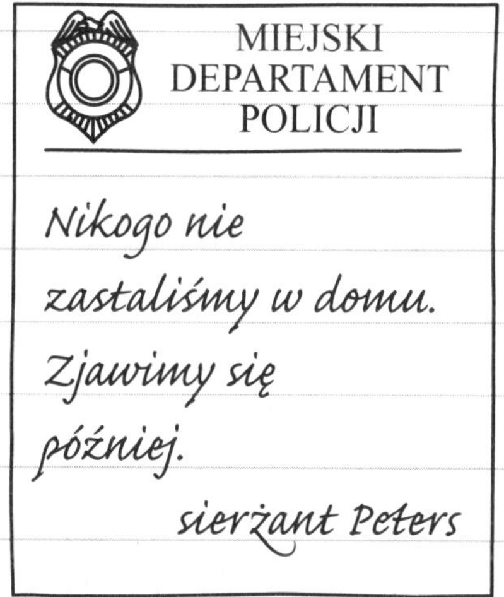
MIEJSKI DEPARTAMENT POLICJI

Nikogo nie zastaliśmy w domu. Zjawimy się później.

sierżant Peters

Nie mogłem UWIERZYĆ, że wicedyrektor Roy oddał mnie wymiarowi sprawiedliwości. Myślałem, że sprawa zostanie między nami i że teraz, gdy dobrowolnie poddałem się karze, jest już po wszystkim.

Wiem jedno. Nie dam się zapuszkować. W tym roku moja klasa była na wycieczce w więzieniu. Osadzeni opowiadali o życiu za kratkami i naprawdę nas przerazili.

Ale nie kraty najbardziej mnie wystraszyły, tylko konieczność korzystania z toalety na oczach wszystkich.

A ja mam OGROMNĄ potrzebę intymności, gdy chodzi o te sprawy. Nawet w szkole ledwo mogę wytrzymać, bo kiedy wracam z łazienki, zawsze słyszę krępujące pytania.

Ściśle rzecz biorąc, nigdy dotąd nie złamałem prawa, chociaż kiedyś MYŚLAŁEM, że popełniłem przestępstwo. Nasz supermarket otworzył specjalny Klub Ciasteczkowy, który dawał darmową babeczkę każdemu klientowi poniżej ósmego roku życia. Miałem prawdziwą kartę członkowską i w ogóle.

No i muszę wam coś wyznać: częstowałem się darmowym ciachem jeszcze DŁUGO po skończeniu ośmiu lat i za każdym razem umierałem ze strachu, że mnie wsadzą. Aż pewnego dnia syrena sklepowa zaczęła wyć DOKŁADNIE wtedy, kiedy ja wgryzałem się w babeczkę truskawkową z kolorową posypką.

Z perspektywy czasu sądzę, że to był po prostu nieszczęśliwy zbieg okoliczności i że ktoś niechcący włączył alarm przeciwpożarowy, ale wówczas uznałem, że zaraz do sklepu wpadną gliniarze i mnie aresztują.

No więc wziąłem nogi za pas. Na szczęście mama znalazła mnie kilka ulic dalej, bo ja byłem pewien, że teraz jestem wyjętym spod prawa zbiegiem i że wkroczyłem na drogę, z której nie ma powrotu.

Ale ta heca z dewastowaniem szkolnego mienia jest o wiele poważniejsza. Dlatego kiedy mama wróciła do domu z Mannym, nic jej nie powiedziałem o liście.

Jednak największy problem stanowi tata. Nie pozostawaliśmy ostatnio w najlepszych stosunkach. A dziś rano wydarzył się incydent, który raczej nieprędko pójdzie w zapomnienie.

Obudziło mnie pukanie do drzwi wejściowych, ale nie chciało mi się wstawać z łóżka.

Pomyślałem, że intruz zaraz znudzi się czekaniem i wróci później.

Ale pukanie było coraz bardziej natarczywe. Człowiek na progu zachowywał się jak totalny świr. No więc zakopałem się w pościel i tylko błagałem w duchu, żeby ten psychopata nie wyważył drzwi.

Rozważałem nawet telefon na policję, ale wtedy sobie uprzytomniłem, że przecież jestem poszukiwany i że muszę sam rozwiązać ten problem.

Wreszcie zebrałem się na odwagę, poszedłem na dół, włożyłem kask bejsbolowy i wziąłem kij – do obrony własnej.

Wtedy nagle zrobiło się cicho, więc odchyliłem firankę, żeby sprawdzić, czy psychopata nadal tam jest. No i niespodzianka. Przed domem zobaczyłem TATĘ.

Przytrzasnął sobie krawat drzwiami, a klucze zostawił w środku. Potrzebował mojej pomocy, żeby się uwolnić.

Dlatego jestem pewien, że tata skorzysta z pierwszej nadarzającej się okazji, żeby oddać mnie do poprawczaka. Jeśli będzie w domu, gdy zjawi się policja, prawdopodobnie bez wahania wyda mnie glinom.

Na szczęście się okazało, że tata nie stanowi zagrożenia. Został wyeliminowany na co najmniej dwadzieścia cztery godziny. Po obiedzie rozpętała się straszna śnieżyca, więc powiedział mamie przez telefon, że jest zbyt niebezpiecznie, aby prowadzić auto, i noc spędzi w hotelu obok swojej pracy.

To oznacza, że do jutra mam czas na przygotowanie strategii.

Piątek

Chyba nawet będę miał więcej czasu, niż przypuszczałem. Śnieg padał przez całą noc, a kiedy wstałem rano, zobaczyłem za oknem prawie metrową zaspę. Lekcje są odwołane.

Wszystko wskazuje na to, że wylądowaliśmy w środku ZAMIECI. Rowley mówił mi wczoraj przez telefon, że spadnie tona śniegu, ale go wyśmiałem.

Co rok o tej porze Rowley dzwoni z sensacyjną nowiną o śnieżycy stulecia. Kiedyś, gdy jego rodzice nagrywali film puszczany na Gwiazdkę, na pasku leciało ostrzeżenie o „załamaniu pogody".

No i ta informacja zawsze się wyświetla podczas odtwarzania kopii.

Za każdym razem, kiedy Rowley ogląda ten nieszczęsny film, twierdzi, że nadciąga śnieżyca. Przez jakiś czas nawet dawałem się na to nabrać. Dopóki nie zadzwonił z tą rewelacją podczas letnich wakacji.

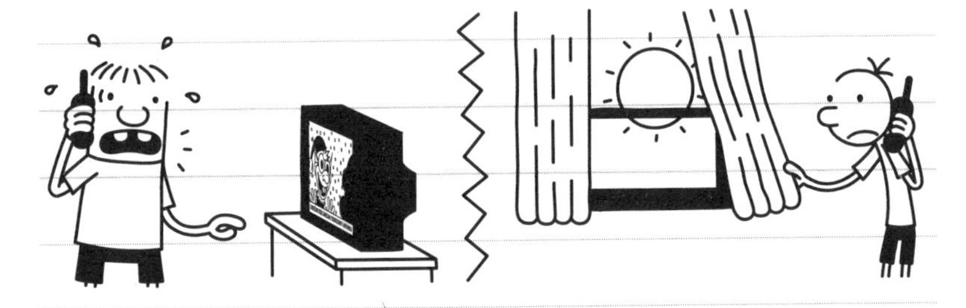

A więc w końcu naprawdę nas zasypało. W innych okolicznościach szalałbym ze szczęścia, bo mógłbym spokojnie grać w Zwierzaki Sieciaki przez cały dzień.

Tylko że mam zablokowane konto, za co mogę podziękować Manny'emu.

Kilka dni temu mama uznała, że młody powinien się uczyć obsługi komputera. Pozwoliła mu grać w Zwierzaki Sieciaki, kiedy byłem w szkole. Gdy wróciłem do domu, odkryłem, że smarkacz przehandlował cały mój wirtualny majątek na punkty, które następnie przepuścił w Zwierzokasynie.

Co gorsza, Manny w jakiś sposób zmienił HASŁO i teraz nie mogę się dostać na konto. Zwierzaki Sieciaki wysyłają mi mnóstwo maili ponaglających do powrotu do gry, ale sytuacja jest beznadziejna.

Jeśli nie zrobię czegoś naprawdę szybko, mój chihuahua raczej tego nie przetrzyma.

Do: Heffley, Gregory
Od: ZWIERZAKI SIECIAKI
Temat: SOS!

Drogi Gregory,

MAŁY PRZYJACIEL GREGORY'EGO tęskni za Tobą!

Kup więcej punktów dla swojego wirtualnego zwierzątka, zanim będzie za późno!

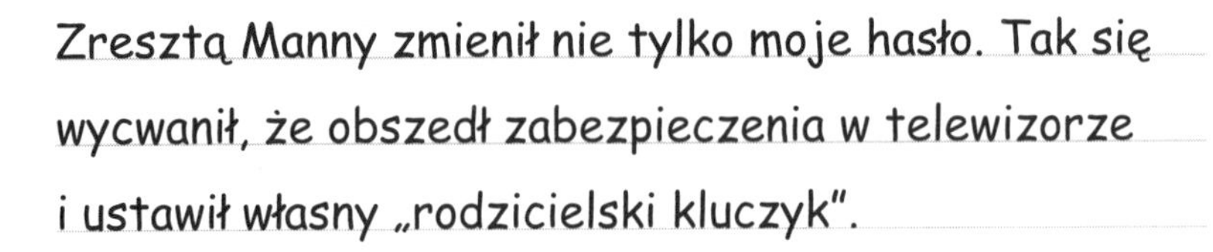

Zresztą Manny zmienił nie tylko moje hasło. Tak się wycwanił, że obszedł zabezpieczenia w telewizorze i ustawił własny „rodzicielski kluczyk".

Rodzicielski kluczyk to taki myk, który pozwala dorosłym decydować, co mogą oglądać ich dzieci. Ale Manny tak zachachmęcił, że teraz oglądamy tylko JEGO programy. A młody za żadne skarby nie chce nam powiedzieć, jak przywrócić poprzednie ustawienia, chociaż stajemy na głowie, żeby go przekupić.

Na szczęście mogę jeszcze grać na konsoli. Tylko że mama kupiła sobie grę z aerobikiem i przez godzinę dziennie okupuje telewizor, używając mojego sprzętu.

Kiedy na dworze zrobiło się chłodno, mama powiedziała, że chce, aby cała rodzina włączyła się do gry, bo w ten sposób nawet zimą zachowamy formę. Próbowałem, ale to nie dla mnie. Naprawdę nie lubię się pocić, grając w gry wideo.

Kłopot w tym, że gra zapisywała wyniki z każdego dnia, więc mama widziała, że się obijam. Ale wtedy zauważyłem, że zamiast się męczyć, mogę używać dżojstika, i szybko zdobyłem najwyższe osiągi.

Kiedy mama zobaczyła moje superwyniki, podjęła wyzwanie. Może powinienem był powiedzieć prawdę i przyznać się, że oszukiwałem, ale próbując wejść na listę zwycięzców, już straciła ponad dwa kilogramy. No więc chyba wyświadczę jej przysługę, trzymając buzię na kłódkę.

Mama zawsze powtarza, że muszę spędzać mniej czasu na kanapie, a więcej się ruszać. Ale ja po prostu oszczędzam energię na później. Kiedy wszyscy moi osiemdziesięcioletni kumple zaczną się sypać, ja dopiero będę się rozkręcał.

Dziś rano mama chciała włączyć kanał meteo, żeby zobaczyć, czy burza śnieżna już przechodzi, ale Manny nie przekręcił swojego rodzicielskiego kluczyka, więc musiała posłuchać w kuchni radia.

Facet od pogody powiedział, że przez noc znów spadnie pół metra śniegu, co oznacza, że będzie to zamieć wszech czasów w naszej okolicy.

Z jednej strony byłem zadowolony, że policyjna obława jeszcze się odwlecze. Ale trochę zacząłem się martwić. Śnieg sięga już naszej skrzynki pocztowej i chyba nie zamierza na tym poprzestać.

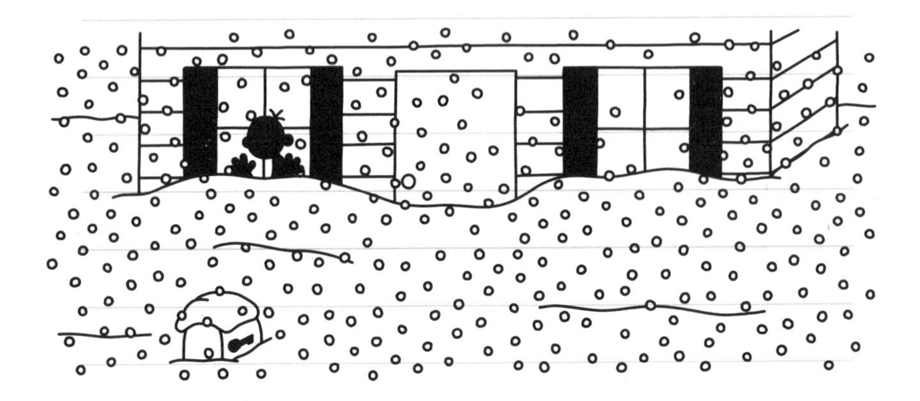

Mama natomiast w ogóle się nie przejęła. Jej zdaniem to doskonała okazja, żebyśmy „zwolnili obroty i naładowali baterie". Kazała mi nawet pójść do składziku poszukać puzzli.

Ale nie ma takiej OPCJI. Zaliczyłem prawdziwą traumę związaną z puzzlami, bo kiedyś poszedłem po nie do piwnicy, a kiedy otworzyłem pudełko, w środku było mnóstwo ŚWIERSZCZY, które zrobiły tam sobie gniazdo.

Po lunchu mama oświadczyła, że chociaż szkoła jest zamknięta, ona musi się upewnić, czy nie mamy braków w edukacji. Stwierdziła, że dwieście lat temu wszystkie dzieci siedziały podczas lekcji w jednej klasie i że my możemy postąpić tak samo.

Ale gdybym na co dzień miał się uczyć z dzieciakami w wieku Manny'ego, szybko wylądowałbym w domu bez klamek.

Sobota

Wczoraj wieczorem mama przyniosła trochę rzeczy z piwnicy, żebyśmy nie powariowali z nudów. Znalazła zestaw magika, który dostałem na szóste urodziny, i wyobraźcie sobie, że wszystkie elementy nadal były w środku.

Dawniej w ogóle nie bawiłem się tą zabawką, bo jako sześciolatek nie potrafiłem przeczytać instrukcji. Ale teraz w końcu przebrnąłem przez opis sztuczek i spróbowałem się kilku nauczyć.

Pierwsza sztuczka udała mi się nad podziw: zdołałem przekonać Manny'ego, że w stole naprawdę jest dziura.

Teraz jednak gorzko żałuję, że nie wybrałem sobie na widza kogoś innego. Bo kiedy mama myła twarz w łazience, młody zabrał jej okulary z toaletki i zaniósł do kuchni, żeby samemu wypróbować magię naszego stołu.

A kiedy mama wyszła z łazienki, żeby rozejrzeć się za okularami, musiałem jej powiedzieć, co zaszło.

Mama bez okularów jest praktycznie ŚLEPA, no więc powiedziała, że ja i Rodrick będziemy pomagać przy Mannym, do czasu kiedy tata wróci do domu, a ona kupi sobie nową parę. Rodrick natychmiast wtrącił, że ma bardzo ważną pracę domową, i wyniósł się do piwnicy, zostawiając Manny'ego na mojej głowie.

Musiałem wyszorować smarkaczowi zęby i zawiązać mu buty, a potem przygotować śniadanie. Nalałem mleka do miseczki i wsypałem trochę ulubionych płatków Manny'ego.

Ale młodemu nie spodobała się kolejność, w jakiej zrobiłem te dwie rzeczy, i urządził scenę. Chciał nową miseczkę płatków, bo tamtą „popsułem".

Ja jednak nie miałem zamiaru marnować jedzenia i stanowczo odmówiłem dokonania wymiany.

Mama zapytała, co to za ryki, więc powiedziałem, że Manny zachowuje się jak potłuczony. Sądziłem, że mnie poprze i każe młodemu zjeść płatki, ale ona oświadczyła, że też nie tknęłaby owsianki, gdyby ktoś najpierw nalał mleko.

Wiecie co? W dawnych czasach starsi ludzie słynęli ze swojej mądrości, a wszyscy przychodzili do nich, żeby rozsądzali spory.

Dzisiaj jednak żyjemy w innym świecie i często się zastanawiam, czy to bezpieczne, aby dorośli skupiali władzę w swoich rękach.

Mama poszła na górę wziąć prysznic, a kiedy skończyła, krzyknęła, że nie ma ręczników w łazience. Chcąc nie chcąc, wziąłem jeden z bieliźniarki i podałem jej przez drzwi. Ale to przekazanie było niezłym wyczynem, bo ona nic nie widziała, a ja zaciskałem powieki tak mocno, jak tylko się dało.

Nieco później Manny musiał skorzystać z toalety, a mama kazała mi go „zabawiać". Ale ja doskonale wiedziałem, co się święci. Manny kiedyś zmuszał mamę, żeby mu czytała, jak siedział na nocniku. I to był dopiero początek naprawdę chorych akcji.

Potem przyrządziłem młodemu lunch. Lubi hot dogi, więc wyjąłem jednego z zamrażarki i podgrzałem w mikrofali.

Mama dała mi szczegółowe wytyczne co do musztardy. Manny przywiązuje ogromną wagę do sposobu jej podania na parówce: musi tworzyć linię prostą biegnącą przez środek. Nie chciałem powtórki z rozróby śniadaniowej, więc bardzo się starałem, aby linia była idealnie równa.

I uznałem, że świetnie mi wyszło.

A jednak Manny znowu dostał ataku szału. Pomyślałem, że linia nie jest wystarczająco prosta, więc wziąłem serwetkę i wytarłem musztardę, żeby spróbować jeszcze raz. Ale dla młodego ta parówka była już skażona i musiałem wrzucić do mikrofali następną.

Tym razem byłem megaostrożny z musztardą, ale kiedy pokazałem swoje dzieło Manny'emu, on znowu zaczął się drzeć.

Mama poprosiła, abym opisał jej, co dokładnie robiłem, więc wyjaśniłem, że narysowałem musztardową linię przez całą długość parówki.

No i wtedy się okazało, że linia powinna biegnąć przez SZEROKOŚĆ parówki. Gdy zastosowałem się do tego zalecenia, młody wreszcie wrzucił na luz.

Czujecie, czym ja się muszę zajmować? Widziałem mnóstwo filmów, w których chłopak w moim wieku odkrywa, że ma wielką moc, i zostaje zabrany do magicznej szkoły. Cóż, nie miałbym nic przeciwko temu, aby to stało się właśnie TERAZ.

Niedziela

O dziesiątej mama kazała mi obudzić Rodricka. Ale kiedy zszedłem do piwnicy, zobaczyłem, że dzieje się coś bardzo złego.

Co najmniej TRZYDZIEŚCI CENTYMETRÓW wody przykrywało podłogę. Chyba cały ten śnieg podtopił nam dom.

Wrzasnąłem do mamy, żeby szybko przyszła, a ona OKROPNIE się zdenerwowała, że tyle naszych rzeczy zostało zalanych. Ale ja będę z wami szczery: niektórych gratów ANI TROCHĘ mi nie żal.

Mama przechowuje pamiątki w specjalnych pudłach, a to z mojego dzieciństwa stało na dolnej półce, no i utonęło. Był w nim między innymi „kalendarz moczeń nocnych" z okresu, kiedy miałem osiem lat.

Chciałbym od razu coś zaznaczyć. Piłem wtedy bardzo dużo wody przed snem, a potem zawsze śniły mi się pokręcone rzeczy.

W końcu udało mi się opanować sytuację, ale wcześniej przez pięć dni z rzędu dostawałem naklejki ze zmartwionymi buźkami.

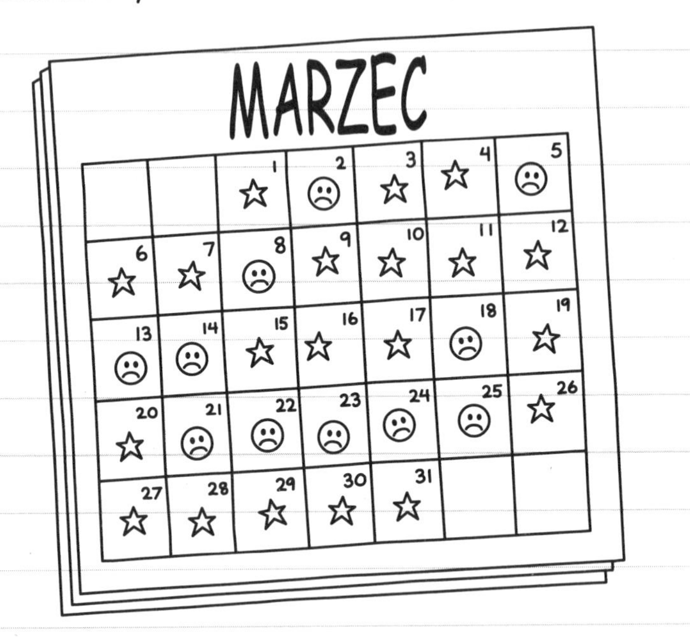

Utopiły się też niektóre z moich ksiąg pamiątkowych z podstawówki. Wierzcie mi, nie będę za nimi tęsknić.

Zwłaszcza za tą z piątej klasy, kiedy każdy uczeń mógł sobie wybrać tło do szkolnej fotografii.

Byłem jedynym dzieciakiem w całej szkole, który zdecydował się na „dziką przyrodę".

Haverly, Jordan

Heath, Olivia

Heffley, Gregory

Henry, Jared

Wiedziałem, że powinienem był postawić na normalność, ale mama mnie namówiła, kiedy przysłali do domu szablony.

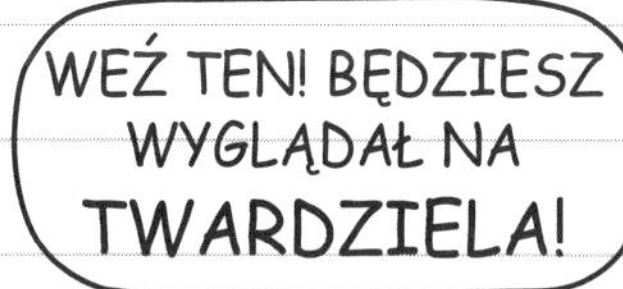

Naprawdę nie rozumiem, czym tu się martwić. Większość utopionych rupieci trafiła do piwnicy nie bez powodu. Po prostu nigdy ich NIE UŻYWALIŚMY. Mama bardzo przeżyła utratę karuzeli na łyżeczki, którą Bunia nam podarowała jakieś pięć albo sześć lat temu.

Chyba chodziło o to, żebyśmy kolekcjonowali łyżeczki z różnych stron świata, ale udało nam się zdobyć tylko jedną. Z Kanady.

Za to naprawdę było mi przykro, kiedy się okazało, że jeden z albumów rodzinnych kompletnie przemókł. Jakiś czas temu mama uzależniła się od wycinania zdjęć i robienia z nich własnych kompozycji.

Ale jednej fotki w tym albumie szczerze nie znosiłem, bo Rodrick zawsze ją obśmiewał. Widać na niej, jak siedzę na kucyku i wrzeszczę ze strachu.

Rodrick zawsze mówi, że wystraszyłem się konia, ale to parszywe kłamstwo. Bałem się typa TRZYMAJĄCEGO kucyka, tylko że mama wycięła go ze zdjęcia.

Skoro już mowa o Rodricku, powódź nie zrobiła na nim żadnego wrażenia. Założę się, że gdybym go nie obudził, spałby dalej w najlepsze, a może nawet wypłynął razem z łóżkiem na ulicę.

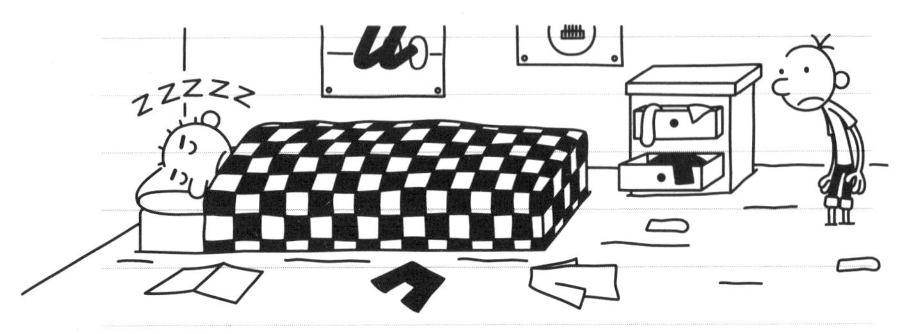

Reszta dnia była jakąś totalną masakrą. Poziom wody w piwnicy ciągle się podnosił, więc musieliśmy wybierać ją systemem „podaj kubeł". Używaliśmy wiaderek do piasku Manny'ego.

Tata zadzwonił z pokoju hotelowego, żeby spytać, co słychać, i mama wszystko mu opowiedziała. Wyraził głębokie ubolewanie, że go z nami nie ma, ale coś mi podpowiada, że nie mówił do końca szczerze.

Z ROZKOSZĄ zamieniłbym się z nim teraz miejscami. Zazdroszczę mu tego czystego pokoju i królewskiego łoża.

Mama powiedziała, że ze względu na powódź Rodrick przeniesie się do MOJEGO pokoju. Oświadczyła, że każdemu z nas dobrze zrobi współlokator, bo to będzie trening przed uniwersytetem.

Latem ja i Rodrick dzieliliśmy przez weekend sypialnię. Musieliśmy spędzić parę dni u babci, kiedy mama i tata zabrali Manny'ego do parku rozrywki. Babcia ma pokój gościnny, więc pomyślałem, że jeden z nas będzie spał na sofie, a drugi na łóżku.

Ale babcia powiedziała, że pokój gościnny jest już „zajęty". Oddała go Słodzikowi, psu, którego jej podarowaliśmy. Nikt by nie zgadł, że to ten sam zwierzak. Tak utył na babcinej kuchni, że przypomina obżartego kleszcza, który zaraz pęknie.

Babcia oświadczyła, że ja i Rodrick możemy spać razem w salonie na rozkładanej kanapie.

Ale ta kanapa jest obita folią malarską, na wypadek gdybyśmy coś wylali.

Przez dwie noce spaliśmy łokieć w łokieć. Rano budziłem się w kałuży potu i nawet nie wiem, czy to był pot mój, czy Rodricka.

Jestem pewien, że w więzieniu śpi się na pryczach piętrowych, dlatego jeśli mnie przymkną, przynajmniej będę miał przyzwoite warunki.

Poniedziałek

Po dwunastu godzinach w jednym pokoju z Rodrickiem poważnie się zastanawiam, czy nie pójść na komisariat i nie przyznać się do winy.
Nikt nie jest w stanie wymierzyć mi surowszej kary niż moja własna rodzina.

Wczoraj wieczorem Rodrick przyniósł masę klamotów z piwnicy. Zawalił mi nimi sypialnię. To podobno ma być sytuacja tymczasowa, ale on najwyraźniej zaczyna się zadomawiać.

Przytachał perkusję, postawił ją na książkach, żeby się przewietrzyła, i rozwłóczył swoje brudne ciuchy po CAŁYM pokoju.

Rano, gdy tylko wstałem, wciągnąłem bokserki, które leżały na komodzie. A kiedy się zorientowałem, że to wczorajsze gacie Rodricka, było już za późno.

Zanim mama w końcu nastawiła pranie, na wszelki wypadek chodziłem w moim kostiumie na Halloween. Nie był może wygodny, ale za to niewątpliwie CZYSTY.

Po południu poszliśmy do piwnicy sprawdzić, czy da się coś uratować z powodzi.

Nagle zobaczyłem dziwny przedmiot unoszący się na wodzie, a kiedy go podniosłem, prawie dostałem zawału.

Z początku myślałem, że to prawdziwe dziecko, ale potem zrozumiałem, że patrzę na Fredzia, moją zaginioną lalkę.

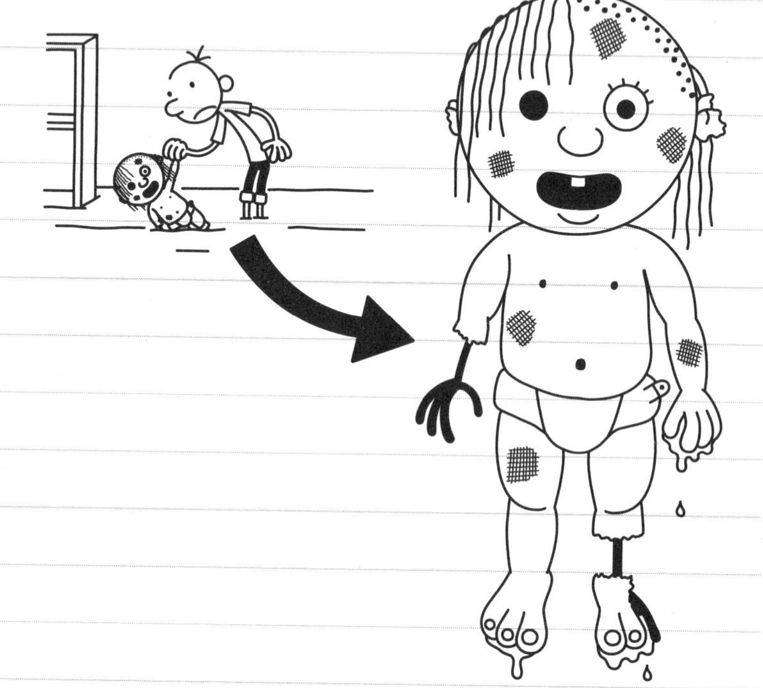

Po tym całym czasie spędzonym w piwnicy Fredzio nie wyglądał najlepiej. Chyba jakaś mysz się do niego dobrała. Zresztą dzień w wodzie też mu dobrze nie zrobił.

A jednak, choć to może dziwne, strasznie się na jego widok ucieszyłem. Sądziłem, że go gdzieś zapodziałem, miałem okropne wyrzuty sumienia, a tymczasem on był z nami przez te wszystkie lata.

Ciekawe tylko, jak trafił do składziku. Musiał w tym maczać palce TATA. Nie był zadowolony, że bawię się lalką, i na pewno ukrył Fredzia, kiedy nie patrzyłem.

Po powrocie taty powiem mu, co myślę o porywaczach lalek, ale chwilowo mam poważniejsze problemy. Na przykład, co by tu ZJEŚĆ.

Nasze zapasy powoli się kończą i jeśli śnieg wkrótce nie stopnieje, będziemy W KROPCE.

Nie zdążyliśmy zrobić zakupów w dniu, w którym rozpętała się śnieżyca, więc od początku mieliśmy mało prowiantu. Mama powiedziała, że musimy „racjonować" żywność do czasu poprawy pogody.

A na tę poprawę się nie zanosi. Zaspa przed domem ma prawie metr wysokości, więc w zasadzie jesteśmy uwięzieni.

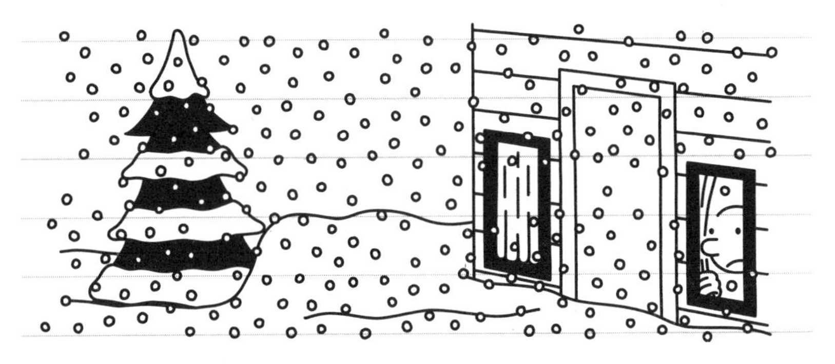

W dodatku Rodrick marnuje jedzenie. Pije mleko prosto z kartonu, a prędzej umrę, niż dotknę czegoś po nim.

Jestem maksymalnie zły na tatę, bo gdyby nie on, mielibyśmy morze mleka. Kilka lat temu wygrałem konkurs na jarmarku – zgadłem, ile waży koźlątko, i w nagrodę mogłem zabrać je do domu. Tata oczywiście nie chciał o tym słyszeć. A gdybym dzisiaj był właścicielem kozy, dosłownie pławiłbym się w mleku.

Wczoraj wieczorem mama znalazła trochę burritos z tyłu zamrażarki i zrobiła je na obiad, ale dziwacznie smakowały, więc ich nie ruszyłem. Kiedy powiedziała, że muszę COŚ zjeść, zaryzykowałem keczup jako główne danie.

Manny natomiast wcale nie wybrzydzał, ale on pochłonie wszystko, jeśli tylko ma swoją ulubioną przyprawę. Kiedyś psikaliśmy obgryzane przez Słodzika meble specjalnym odstraszaczem w spreju o nazwie Gorzkie Jabłuszko. Psy go nienawidzą.

Ale z jakiegoś tajemniczego powodu Manny UBÓSTWIA smak Gorzkiego Jabłuszka i przyprawia sobie nim niemal każdą potrawę.

A skoro już mowa o Słodziku, zrobiłem się dzisiaj tak głodny, że poważnie rozważałem zjedzenie jednego z jego smakołyków, które znalazłem w spiżarce.

Ale mama powiedziała, że psie żarcie jednak różni się jakością od ludzkiego, i powstrzymała mnie od zjedzenia bekonowego dropsa. Przynajmniej na razie.

Nie mogę uwierzyć, że ja tu przymieram głodem, a Słodzik obrasta w tłuszczyk u babci i jada domowe obiadki.

Cóż, tylko do siebie mogę mieć pretensję. W lodówce było mnóstwo jedzenia w puszkach jeszcze na tydzień przed Świętem Dziękczynienia, ale zabrałem prawie WSZYSTKO do szkoły w Dniu Karmienia Ubogich. Pozbyłem się wtedy różnych ohydztw, których nie znoszę. Na przykład słodkich ziemniaków czy buraczków.

Założę się, że ubogiemu, który je otrzymał, uśmiech nie schodzi z twarzy.

Zaczynałem się już zastanawiać, czy pasta do zębów ma jakąkolwiek wartość odżywczą, gdy nagle sobie przypomniałem, że przecież trzymam coś JADALNEGO w szufladzie biurka.

Kiedy tata nie zgodził się na koźlątko, mama kupiła mi na pocieszenie wielką landrynę mutanta. Przez całą jesień próbowałem się z nią uporać.

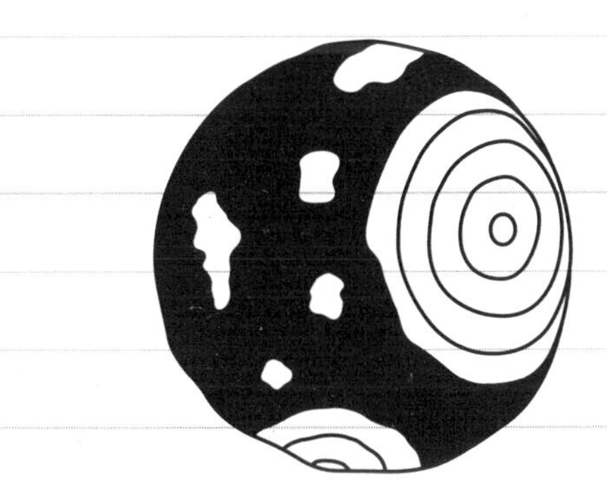

Kiedy zjemy RESZTĘ zapasów, ta landryna pomoże mi przetrwać jeszcze co najmniej tydzień.

Dzisiaj wieczorem na moment wysiadła elektryczność. Mama powiedziała, że druty wysokiego napięcia są oblodzone i że pewnie w końcu zostaniemy bez prądu.

Oświadczyła, że jeśli to nastąpi, nie możemy za często otwierać zamrażarki, żeby jedzenie w środku się nie zepsuło. Dodała też, że nie wolno nam otwierać drzwi wejściowych, bo w ten sposób z domu ucieka ciepło.

Manny AUTENTYCZNIE spanikował, a kiedy młody ma cykora, chowa się w swoim pokoju. Kiedyś, jak był jeszcze zupełnie mały, powiedziałem mu, że w piwnicy mieszka czarownica, no i kompletnie się załamał. Zniknął na parę dobrych godzin, ale w końcu go nakryliśmy w szufladzie ze skarpetkami.

Mama miała rację, bo piętnaście minut później światło znowu zgasło. Próbowała wezwać ludzi z elektrowni, ale siadła jej bateria w telefonie. Temperatura w domu coraz bardziej spadała i musieliśmy siedzieć pod kocem, żeby się trochę ogrzać.

Manny nie wychodził ze swojego pokoju. Na pewno był przerażony. Ja zresztą też czułem się nieswojo.

Kiedy znienacka odłączają człowiekowi prąd, tylko krok go dzieli od przemiany w dzikie zwierzę. A bez telefonu i telewizji jest się kompletnie odciętym od świata.

Mniej bym się martwił, gdyby nasza ulica była odśnieżona, bo wtedy mielibyśmy przynajmniej jakąś łączność z cywilizacją. Ale jestem pewien, że gościu od pługa dotrze do nas na samym końcu, bo tutaj na wzgórzu zawsze obrywa śnieżkami.

Naprawdę nie było sensu siedzieć tak po ciemku, więc po prostu poszedłem spać, a Rodrick zaraz do mnie dołączył.

Skostniały z zimna, przypomniałem sobie historię, którą przeczytałem w jakimś czasopiśmie. Dwóch kolesi zgubiło się w lesie i musiało spać w jednym śpiworze, żeby nie zamarznąć.
Zerknąłem na Rodricka, zastanowiłem się przez sekundę, po czym doszedłem do wniosku, że wyżej cenię sobie godność niż życie.

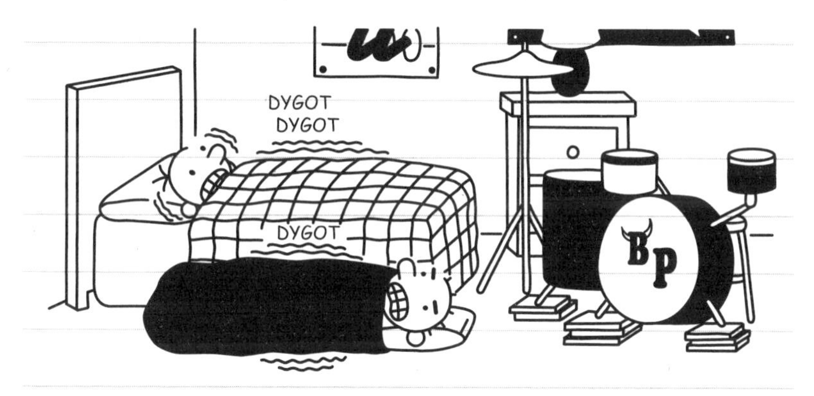

Wiecie co? Więzienie jest o wiele lepsze od CZEGOŚ TAKIEGO. Nie mam żadnych wątpliwości, że zapewniają tam ogrzewaną celę i trzy posiłki dziennie, więc kiedy policja po mnie wróci, nie będę stawiał oporu.

Wtorek

Po przebudzeniu stwierdziłem, że Fredzio znowu gdzieś przepadł, jednak nie byłem tym specjalnie zmartwiony. Bardzo mnie ucieszył jego widok po tak długiej rozłące, ale, prawdę mówiąc, nie mieliśmy sobie zbyt wiele do powiedzenia.

Rano zauważyłem, że śnieży znacznie mniej. Nadal jednak nie mieliśmy prądu, a mama powiedziała, że musimy przystosować się do nowych okoliczności.

Oświadczyła, że nie brałem prysznica od kilku dni i że nie mogę zachowywać się jak „dzikus". Obiecałem, że będę się kąpał DWA razy dziennie, kiedy elektryczność wróci, ale ona była bezlitosna i kazała mi iść do łazienki.

Woda okazała się lodowata, a w dodatku nie znalazłem żadnego ręcznika poza tym, którego wczoraj używała mama. No więc musiałem się wytrzeć opatrunkiem z gazy.

Wskoczyłem w ciuchy i wkrótce potem rozległo się pukanie do drzwi frontowych. Pomyślałem, że to wreszcie policja po mnie przyjechała, i zrobiło mi się słabo. Ale przez okno zobaczyłem ROWLEYA, który coś trzymał.

Sądziłem, że przybył nam NA POMOC. On jednak odparł, że po prostu przyniósł ciasteczka cynamonowe, i zapytał, czy pobawimy się na dworze. Oświadczyłem, że chyba ZGŁUPIAŁ, i zapytałem, jak jego rodzina daje sobie radę bez elektryczności. Najwyraźniej nie miał pojęcia, o czym mówię.

Odpowiedział, że u niego w domu jest elektryczność, zresztą tak samo jak na całej ulicy. No i dopiero wtedy zauważyłem, że u wszystkich sąsiadów palą się lampki ogrodowe.

Rowley chciał, żebym ulepił z nim bałwana. Zatrzasnąłem mu drzwi przed nosem, ale zaraz potem rzuciłem się na ciasteczka.

Powtórzyłem mamie wieści o prądzie, a ona kazała mi zejść do piwnicy i sprawdzić bezpieczniki.

Oto, co zobaczyłem, kiedy zajrzałem do puszki:

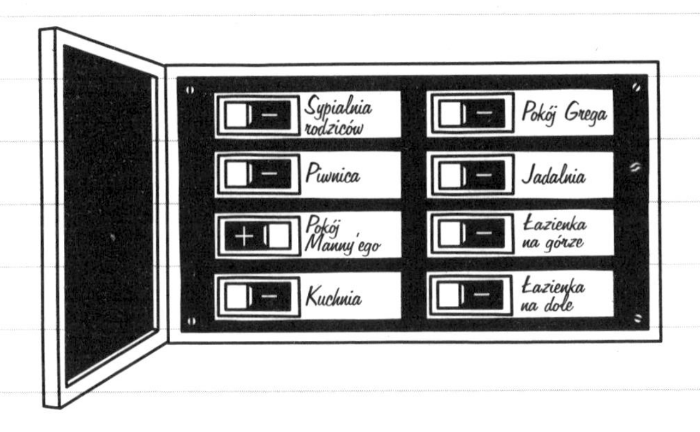

Włączony był tylko JEDEN bezpiecznik.

Pobiegłem na górę, a gdy otworzyłem drzwi pokoju Manny'ego, krew mnie zalała. Młody siedział przy grzejniku z nawiewem i z górą żarcia. Do tego NIE BYŁ SAM.

Kiedy sprawy przybrały zły obrót, Manny chyba doszedł do wniosku, że nie pora na sentymenty. Myślę, że pozwoliłby najbliższym zamarznąć, gdyby dzięki temu ocalił WŁASNĄ skórę.

Mama zapytała, czemu wyłączył nam prąd, a on się poryczał i odparł, że zrobił to, bo nikt nie nauczył go wiązać sznurowadeł.

Zostawiłem mamę z Mannym, poszedłem do piwnicy i włączyłem prąd we wszystkich pomieszczeniach. Zrobiło się jasno i ciepło. Parę minut później zadzwonił tata. Powiedział, że drogi są czyste i że wraca do domu.

Wyjrzałem za okno i zobaczyłem nadjeżdżający pług śnieżny.

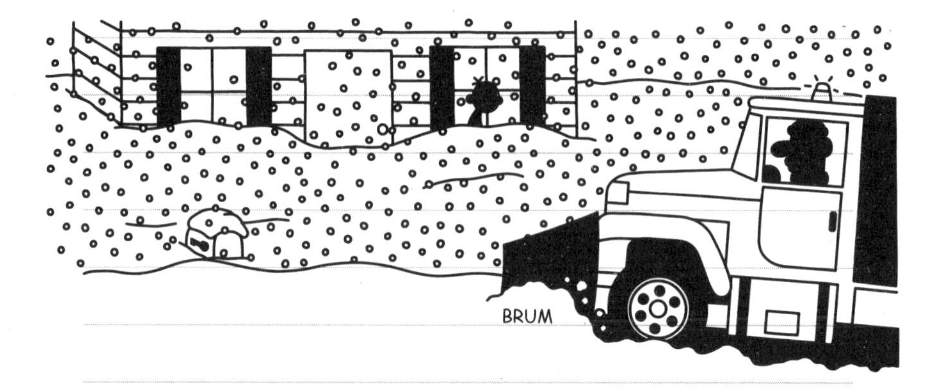

Mama obwieściła, że to „cud", że tata będzie w domu w Wigilię. Ale ja, prawdę mówiąc, nie zdawałem sobie dotąd sprawy, jaki mamy dzień.

Tata kupił po drodze trochę jedzenia, które pożarliśmy jak stado głodnych wilków. Wierzcie mi, nigdy już nie wyniosę z domu żadnej puszki na szkolną zbiórkę.

Potem mama powiedziała, że idzie z tatą poszukać jakiegoś otwartego sklepu optycznego.

Zanim wyszła, poprosiła, żebym zaniósł na komisariat prezent na policyjną akcję Podaj Zabawkę i zostawił go w specjalnym kontenerze, bo to ostatni dzień zbierania darów.

Niespecjalnie miałem chęć pokazywać się na komisariacie i NAPRAWDĘ nie zamierzałem spędzać Gwiazdki w więzieniu. Wiedziałem jednak, że jakieś dziecko będzie okropnie zawiedzione, jeśli nie zostawię prezentu, więc wyciągnąłem z szafy maskę narciarską i zakamuflowany wyszedłem z domu.

Dobrnięcie do komisariatu zajęło mi całą wieczność, a na wszelki wypadek ostatnie metry pokonałem, pełznąc.

Gdy stwierdziłem, że teren jest czysty, wstałem i wrzuciłem prezent do kontenera.

No a potem poszedłem do domu. Ale kiedy mijałem kościół, coś sobie przypomniałem. Zostawiony na Hojnym Drzewie liścik, w którym prosiłem darczyńcę o ukrycie gotówki pod śmietnikiem.

Parking za kościołem był totalnie zaśnieżony. Miałem pewność, że śmietnik gdzieś tam jest, jednak nie wiedziałem, gdzie dokładnie.

Na szczęście zobaczyłem szuflę opartą o mur i zacząłem przedzierać się przez śnieg. Zmarnowałem masę czasu, odśnieżając OGROMNY kawał parkingu.

Gdyby kościół miał porządny szlauch z tyłu budynku, robota by szła o wiele szybciej. Naprawdę mi zależało, żeby znaleźć tę kopertę, bo człowiek ścigany przez policję potrzebuje na początek żywej gotówki.

Ale kiedy dokopałem się wreszcie do kosza, niczego pod nim nie było.

Do domu wlokłem się tak zdołowany, że zupełnie zapomniałem o środkach ostrożności. Toteż przeżyłem prawdziwy szok, gdy dotarłem do drzwi i zobaczyłem wóz policyjny tuż za sobą na podjeździe.

Wiedziałem, że przyjechali po mnie, więc wbiegłem do środka i zaryglowałem drzwi. Jednak kiedy zapukali, Rodrick oczywiście ich wpuścił.

Rozważałem, czy nie wyskoczyć oknem, ale teraz się cieszę, że tego nie zrobiłem, bo wyszedłbym na idiotę. Tym policjantom wcale nie chodziło o mnie. Po prostu zbierali ostatnie dary na zakończenie akcji Podaj Zabawkę.

Pomyślałem sobie, że blefują i że chcą po prostu wywabić mnie z ukrycia. Ale w końcu zebrałem się na odwagę i podszedłem do drzwi. Dla niepoznaki spróbowałem im coś wcisnąć.

Gliniarze jednak oświadczyli, że nie przyjmują używanych zabawek i że interesują ich tylko nowe rzeczy w oryginalnych opakowaniach. Chyba byli trochę wstrząśnięci widokiem Fredzia, bo zaraz się ulotnili.

Boże Narodzenie

Kiedy się obudziłem, nie mogłem uwierzyć, że to już święta, że mam w domu prąd i że nie jestem poszukiwany listem gończym.

Poszedłem na dół, żeby zobaczyć, co leży pod choinką, i opadła mi szczęka, bo pod drzewkiem było PUSTO.

W pierwszej chwili pomyślałem, że to Agent nakablował Świętemu o wszystkich aferach, w które się ostatnio wplątałem. Ale wtedy przyszła mama i powiedziała, że Mikołaj JEDNAK odwiedził nas zeszłej nocy i zostawił upominki w garażu.

Dodała, że zamieć namieszała w grafikach Świętego, tak więc nie zdążył ładnie zapakować prezentów i po prostu włożył je do worków na śmieci. Trochę to bez sensu, ale ulżyło mi, że w ogóle coś dostałem.

Gdy inni do nas dołączyli, mama stwierdziła, że odgadywanie zawartości worków będzie naprawdę ekscytujące.

Ja tego tak nie widziałem, ale tata chyba się cieszył, że wreszcie nie musi sprzątać strzępów ozdobnego papieru.

Kiedy obejrzałem wszystkie prezenty, mama wręczyła mi jakąś paczuszkę i powiedziała, że to od NIEJ.

Wyjąłem ze środka „Wieżę druidów", więc trochę się zdziwiłem. Mama wyjaśniła, że miała wyrzuty sumienia w związku ze swoim fałszerstwem, toteż sprawdziła, gdzie Kenny Centazzo podpisuje przed świętami, i zdobyła dla mnie prawdziwy autograf.

Oznajmiła, że spędziła w kolejce trzy godziny, ale jest szczęśliwa, że mogła to dla mnie zrobić.

Kenny Centazzo chyba nie usłyszał dokładnie, bo na książce stoi jak wół:

Dla mojego największego fana, Craiga.
Kenny Centazzo

Nic nie szkodzi, przy odrobinie szczęścia znajdę jakiegoś nadzianego Craiga, który szaleje za komiksami, i sprzedam mu swój egzemplarz za furę kasy.

Rodrick dostał pod choinkę werbel i pałeczki, a Manny mnóstwo zabawek i trampki. Mama nauczyła wczoraj młodego wiązać sznurowadła, ale on najwyraźniej nadal woli wysługiwać się rodziną.

Kiedy już skończyliśmy z prezentami, mama powiedziała, że czas iść do kościoła. Uświadomiłem jej, że nie możemy, bo nie mamy żadnych czystych ubrań, a wtedy ona wytrzasnęła skądś jeszcze trzy prezenty.

Naprawdę lubię spędzać Gwiazdkę w piżamie. Po włożeniu wyjściowego ubrania świąteczny nastrój znika bez śladu. No więc postanowiłem wciągnąć ciuchy NA piżamę, a gdy tylko wrócimy do domu, dalej cieszyć się Bożym Narodzeniem. Ale podczas dwugodzinnej mszy szybko zrozumiałem, że włożenie sztruksów i swetra na grubą flanelę było wielkim błędem.

Po powrocie poszedłem na górę, żeby się przebrać. Pot dosłownie chlupotał mi w butach i musiałem go wylać do umywalki.

Kiedy poszedłem na dół, na kuchennym stole leżała gazeta. A oto, co ujrzałem na pierwszej stronie.

Goniec Codzienny

Niezidentyfikowany bohater odśnieża!

Dar serca tajemniczego chłopca dla przykościelnej kuchni

Zamieć, która sparaliżowała miasto i uniemożliwiła dostęp do wielu usług, zagroziła także kuchni dla ubogich zapewniającej ciepły posiłek świąteczny osobom doświadczonym przez los. Najwyraźniej nie mógł na to patrzeć obojętnie pewien nastolatek, który w Wigilię altruistycznie odśnieżył teren przy kościele.

ciąg dalszy na stronie 2

Cóż, gazeta nie przytoczyła wydarzeń zbyt ściśle, ale nie będę pisał sprostowania. A właściwie ten artykuł zainspirował mnie do zredagowania drugiego wydania „Plotkarza Sąsiedzkiego". I jestem pewien, że tym razem sprzedam MASĘ egzemplarzy.

Plotkarz SĄSIEDZKI

Ujawniamy tożsamość zamaskowanego BOHATERA!

„Plotkarz" dostał tę informację na wyłączność! Tajemniczy dobroczyńca, który odśnieżył parking przy kościele w Wigilię, to nie kto inny, jak nasz redaktor naczelny, Greg Heffley.

– Chciałem po prostu zrobić coś dobrego – odparł Heffley, kiedy spytaliśmy, czemu

ciąg dalszy na stronie 2

PODZIĘKOWANIA

Dziękuję wszystkim nauczycielom i bibliotekarzom, którzy opowiedzieli dzieciom o tych książkach.

Dziękuję mojej rodzinie za kupę śmiechu i miłości. Łączy nas coś niesamowitego i cieszę się, że mogę być częścią waszego życia.

Dziękuję wydawnictwu Abrams za spełnienie moich marzeń o pracy rysownika. Jestem ogromnie wdzięczny niestrudzonemu redaktorowi Charliemu Kochmanowi oraz Michaelowi Jacobsowi – za to, że nawet wyżyny mają swoje wyżyny. A także Jasonowi Wellsowi, Veronice Wasserman, Scottowi Auerbachowi i Chadowi W. Beckermanowi. To naprawdę niezła jazda i cieszę się, że pędzimy razem na tej karuzeli.

Podziękowania niech przyjmą również Jess Brallier i genialny zespół z portalu Poptropica za cierpliwość i zrozumienie w najbardziej szalonym okresie, a także za wielkie zaangażowanie i świetną robotę na rzecz dzieci.

Dziękuję Sylvie Rabineau, mojej fantastycznej agentce, za wsparcie, zachętę i rady. Oraz Carli, Elizabeth i Nickowi z wytwórni Fox, a także Ninie, Bradowi i Davidowi – za to, że pomogli mi przenieść Grega na duży ekran.

O AUTORZE

Jeff Kinney jest twórcą internetowych gier komputerowych oraz serii książek *Dziennik cwaniaczka*, numeru jeden na liście bestsellerów „New York Timesa". W 2009 roku czasopismo „Time" umieściło go wśród Stu Najbardziej Wpływowych Ludzi Świata. Jeff stworzył też www.poptropica.com, jeden z Pięćdziesięciu Najlepszych Portali Internetowych według „Time". Dzieciństwo spędził w Waszyngtonie, a w 1995 roku przeniósł się do Nowej Anglii. Obecnie z żoną i dwoma synami mieszka na południu Massachusetts, gdzie otworzył księgarnię An Unlikely Story.

Wydawnictwo NASZA KSIĘGARNIA Sp. z o.o.
05-075 Warszawa-Wesoła, ul. Apteczna 6
e-mail: naszaksiegarnia@nk.com.pl
tel. 22 643 93 89

Sprzedaż wysyłkowa: tel. 22 641 56 32
e-mail: sklep.wysylkowy@nk.com.pl

www.nk.com.pl

Książkę wydrukowano na papierze
Ecco Book Cream 70 g/m² wol. 2,0.

Redaktor prowadząca ***Joanna Wajs***
Opieka merytoryczna ***Magdalena Korobkiewicz***
Redakcja ***Adam Pluszka***
Redakcja techniczna ***Joanna Piotrowska***
Korekta ***Roma Sachnowska***
Skład i łamanie ***Mariusz Brusiewicz***

ISBN 978-83-10-13795-1

PRINTED IN POLAND

Wydawnictwo „Nasza Księgarnia", Warszawa 2022 r.
Druk: POZKAL, Inowrocław